O Mercador de Veneza

WILLIAM SHAKESPEARE

O Mercador de Veneza

TEXTO ADAPTADO POR
JÚLIO EMÍLIO BRAZ

Esta é uma publicação Principis, selo exclusivo da Ciranda Cultural
© 2021 Ciranda Cultural Editora e Distribuidora Ltda.

Texto
William Shakespeare

Adaptação
Júlio Emílio Braz

Preparação
Maria Stephania da Costa Flores

Revisão
Agnaldo Alves

Diagramação
Fernando Laino

Produção editorial e projeto gráfico
Ciranda Cultural

Imagens
GeekClick/Shutterstock.com;
wtf_design/Shutterstock.com;
Uncle Leo/Shutterstock.com;
RATOCA/Shutterstock.com

Dados Internacionais de Catalogação na Publicação (CIP) de acordo com ISBD

S527m   Shakespeare, William

             O Mercador de Veneza / William Shakespeare ; adaptado por Júlio Emílio Braz. - Jandira, SP : Principis, 2021.
             96 p. ; 15,5cm x 22,6cm. - (Shakespeare, o bardo de Avon)

             Adaptação de: The Merchant of Venice
             Inclui índice.
             ISBN: 978-65-5552-193-1

             1. Literatura inglesa. 2. Teatro. I. Braz, Júlio Emílio. II. Título. III. Série.

                                                                                 CDD 823
2020-2569   CDU 821.111

Elaborado por Vagner Rodolfo da Silva - CRB-8/9410

Índice para catálogo sistemático:
1. Literatura inglesa   823
2. Literatura inglesa   821.111

1ª edição em 2021
www.cirandacultural.com.br
Todos os direitos reservados.
Nenhuma parte desta publicação pode ser reproduzida, arquivada em sistema de busca ou transmitida por qualquer meio, seja ele eletrônico, fotocópia, gravação ou outros, sem prévia autorização do detentor dos direitos, e não pode circular encadernada ou encapada de maneira distinta daquela em que foi publicada, ou sem que as mesmas condições sejam impostas aos compradores subsequentes.

SUMÁRIO

APATIA 9

PÓRCIA E OS TRÊS COFRES 15

SHYLOCK 20

LANCELOTO E SEU VELHO PAI 27

INFORTÚNIOS DE UM PRETENDENTE 34

JÉSSICA 40

LOUCURAS DE AMOR 44

TOLO FRACASSO 49

PREOCUPAÇÕES 56

O FIM DOS TRÊS COFRES 62

TENSÃO E EXPECTATIVA 71

JULGAMENTO 74

ANGÚSTIA E PAIXÃO 91

Ele me humilhou, impediu-me de ganhar meio milhão,
riu de meus prejuízos, zombou de meus lucros,
escarneceu de minha nação, meteu-se nos meus negócios,
fez que meus amigos se arrefecessem, encorajou meus
inimigos. E tudo por quê?
Porque sou judeu.

O MERCADOR DE VENEZA – Ato III – Cena I

APATIA

    Faltava compreensão, sobrava perplexidade. Ninguém, fosse entre seus amigos, fosse entre conhecidos, fosse até mesmo entre os que cruzavam seu caminho, sabiam explicar. Estranheza. Era tudo o que restava a cada um deles. De qualquer maneira, longe de diminuir, a curiosidade crescia e, mais o tempo passava, menos se entendia aquela persistente apatia que tomava conta do semblante taciturno e a alma silenciosa de Antônio.
    Tudo soava excepcional e estranho.
    Como poderia ser?
    Tolice?
    Falta do que fazer ou inexistência de outros objetivos a perseguir e alcançar, já que para muitos ele parecia ter tudo na vida?
    Muitos, como Bassânio, o mais romântico dentre todos os parentes e amigos, apostavam em alguma desilusão amorosa, e assim iam todos os que gravitavam em torno dele, a se digladiar em muitas respostas e nenhuma delas conclusiva o bastante para satisfazer a todos. Persistia a apatia do nobre e virtuoso Antônio, e, obviamente, com ela, novas e novas sugestões.
    Difícil compreender, e por causa dessa persistente e constante dúvida, volta e meia um dentre tantos amigos se impacientava e o questionava.

Diante de tantos e tão variados questionamentos, invariavelmente a resposta de Antônio era:

– O que eu poderia lhe dizer que já não disse a tantos outros, meu amigo? Sinceramente, não faço a menor ideia por que estou tão triste.

– Decerto não se trata de dinheiro – observou Salarino, o mais pertinaz dentre os amigos que o interpelavam de tempos em tempos acerca da melancolia que o entediava e que já se tornara lendária, fonte de comentários por toda Veneza.

– Fosse esse o caso e lhe asseguro que não haveria problema algum – afirmou Antônio.

– Então...

– É exatamente isso que mais me aborrece. Não encontro explicação para meu estado de espírito. Desconheço por completo de onde saiu e quando surgiu tal tristeza.

– É uma tristeza?

– Não sei bem. Faz tempo que me vejo em tal situação, mas se você me perguntar quando, exatamente, desconheço. Deve ter sido aos poucos, de maneira bem imperceptível, um inimigo invisível que foi crescendo, atormentador.

– Estranho, não?

– Você nem pode imaginar quanto. Por vezes me sinto tão oco que tenho medo de mim mesmo, do vazio em que se transforma a minha vida. Tudo se torna tão sem sentido, os valores da existência se perdem tanto que tenho medo de mim e do que possa fazer.

– Deus te proteja e a nós não desampare, Antônio! Que loucura é essa?

– Já pensei estar enlouquecendo, mas não acredito nisso. Aqui e ali me sinto como alguém a quem faltam objetivos, que alcançou certo patamar de satisfação pessoal e não lhe falta dinheiro para realizar o que quer que seja.

– Aliás, algo bem comum àqueles que não precisam lutar de modo mais feroz e desesperado pelo pão de cada dia... – observou Salânio, um tipo rubincudo e quase inteiramente calvo, que acompanhava Salarino.

– Não me tome por um burguês entediado, Salânio!

– De modo algum, meu amigo. Queira me perdoar. Eu realmente não devia ter me permitido comentário tão leviano nem me entregar a julgamento tão apressado. Mas me custa crer que alguém como você, senhor de vários galeões e possuidor de grande fortuna, invejado até entre os burgueses mais ricos de Veneza, esteja sendo importunado por dúvidas e preocupações mais comuns a um dos muitos pensadores e filósofos que infestam tabernas e pátios de universidades.

– Quem sabe Antônio esteja triste simplesmente por não conseguir parar de pensar nas muitas cargas que tem a bordo de seus galeões pelos mares deste mundo – opinou Salarino.

– Pode ser – apressou-se Salânio em concordar, fugindo do olhar contrariado e aborrecido que Antônio lhe lançara um pouco antes.

– Não, não. De maneira alguma...

– Então está amando – sorriu Salarino, empertigando-se, o corpo macilento e balouçante equilibrando-se alternadamente em uma perna e outra, um risinho malicioso iluminando-lhe os pequenos olhos azuis-acinzentados.

— Você já nos levou por tal caminho, meu amigo, e como sabemos, ele se mostrou equivocado. Não, não estou apaixonado.

– Não seria exatamente esse o problema? – insistiu Salânio.

Antônio surpreendeu-se:

– Como assim?

– A ausência de paixão em sua vida, quero dizer...

– Ora, por que insistir nesse assunto? Eu já disse que nada tem a ver com amor ou paixão.

Salânio e Salarino se entreolharam, o primeiro balançando a cabeça negativamente e dizendo:

– Desisto!

– Talvez devesse procurar rir um pouco, buscar uma trupe de atores que consiga lhe provocar algumas boas gargalhadas – tornou Salarino, insistente. – Já pensou nisso?

– Em mais de uma ocasião... – Antônio calou-se ao ver Bassânio e dois companheiros de mesa em uma das mais conhecidas tabernas do Rialto aproximando-se.

– Olhem quem vem chegando – disse Salânio. – Creio que iremos embora, certos de que você estará em melhor companhia.

– Nos veremos mais tarde – prometeu Salarino; virando-se para Bassânio e os outros, despediu-se: – Tenham um bom dia, senhores.

– Não se vá ainda, meu amigo – pediu Bassânio.

– Temo não ser possível ficar nem mais um segundo aqui. O trabalho nos espera.

– Lamentavelmente...

– Asseguro que nossas próximas folgas estarão à disposição de todos – prometeu Salarino, afastando-se rapidamente com Salânio e deixando Bassânio e os outros na companhia de Antônio.

Ao ver Salânio e Salarino se distanciando rua abaixo, Bassânio sorriu, divertido, e por fim perguntou:

– O mesmo assunto de sempre?

– Como sabe? – redarguiu Antônio.

– E existe outro quando você está presente?

Riram.

Lourenço, um dos homens que acompanhavam Bassânio, um gigante avermelhado e de longa barba grisalha, achegou-se e disse:

– Senhor Bassânio, já que encontrou seu parente, eu e Graciano os deixaremos. Muito gratos ficaríamos se os dois puderem cear conosco hoje à noite.

– Combinado – disse Bassânio.

Virando-se para Antônio, Graciano, alguns centímetros mais baixo do que Lourenço, as pontas do espesso bigode caindo pelos cantos de uma boca larga e praticamente sem lábios, insistiu:

– Ainda doente, senhor Antônio?

Antônio surpreendeu-se:

– De onde você tirou semelhante ideia, Graciano?

– Seu aspecto...

– Pareço adoentado?

– Seu aspecto mofino nos preocupa.

– Pois não deveria se preocupar, meu amigo.

– Como não? Você é um bom homem e... – Graciano calou-se, constrangido, ao ser alcançado pela censura silenciosa do seu olhar do companheiro. – Bom, deixemos tais assuntos para mais tarde, não é mesmo, Lourenço?

O sorriso de Lourenço apresentava uma ponta de alívio quando seus olhos abandonaram a figura constrangida de Graciano e fixaram-se em Antônio e Bassânio.

– Muito bem – disse, mostrando-se satisfeito. – Até logo mais, na ceia. E tranquilizem-se, pois farei o papel de mudo, pois Graciano não me deixa mesmo falar.

Antônio e Bassânio esperaram pacientemente que ambos se perdessem na multidão que ia e vinha pelas ruas próximas, antes que Antônio se voltasse para o amigo e pedisse:

– Diga-me o nome da donzela a que você prometeu ir ao encontro e da qual prometeu que me falaria hoje.

O constrangimento fez-se presente no rosto de Bassânio, e por uns instantes ele obstinou-se em um certo silêncio.

– Certamente você não ignora que dissipei a minha pequena fortuna tentando sustentar um estilo de vida que foi bem além de meus parcos recursos, não é mesmo, Antônio? Atualmente não me pesa abrir mão desse alto estilo. Apenas me preocupo em pagar minhas dívidas em dia e não me enrolar em outras tantas. Infelizmente, apenas o grande débito que tenho contigo fui incapaz de quitar e, por enquanto, só lhe posso agradecer a amizade e a generosidade com que me apoia em meus projetos de ficar livre dessas dívidas.

– Não tenha dúvida de que todos os meus recursos sempre estarão à sua disposição até que se livre da última de suas dívidas.

– Você já me emprestou muito e, como jovem desajuizado e tolo, perdi tudo que lhe devo e até hoje não consegui pagar.

– Deixe disso, Bassânio! Você me conhece bem o bastante para não perder tempo com apelos desnecessários à minha afeição ou, pior ainda, à lisonja. Seus elogios mais me aborrecem do que agradam, pois parece que necessito deles para que você conserve minha generosidade e decerto não preciso disso. Basta que me diga do que precisa e que só possa ser por mim realizado, e estarei à sua disposição.

– Antônio, eu...

– Vamos falar de uma vez!

– Há uma jovem em Belmonte que recentemente recebeu uma grande herança. Trata-se de uma criatura muito linda e, além do mais, virtuosa. Seu nome é Pórcia e há não muito tempo trocamos mais do que apenas olhares e mensagens, mas não fomos além disso. Fosse apenas a grande fortuna que possui e Pórcia seria objeto da atenção e do interesse de muitos pretendentes, mas é uma criatura de rara inteligência e outros tantos predicados, o que a faz ser procurada por muitos interessados em conquistar tanto ela quanto a grande herança...

– E é isso que você quer? A bela Pórcia?

– Ah, Antônio, tivesse eu meios para me apresentar como pretendente e não tenho a menor dúvida de que seria o felizardo a conquistar-lhe o coração.

– Você sabe que o ajudarei, Bassânio. Por outro lado, também sabe que tudo que tenho está neste momento no mar. Neste momento, dinheiro tenho pouco, e bens possuo poucos para levantar grande soma ou pelo menos o suficiente para ajudá-lo em sua empreitada. Portanto, tudo o que posso lhe pedir é que saia a campo e ponha à prova meu crédito em Veneza. Tenho plena confiança de que não terá que ir muito longe nem enfrentará grande dificuldade para prover-se de forte numerário.

– O que sugere?

– Não lhe parece óbvio?

– Receio envolvê-lo em apuros...

– De maneira alguma. Além do mais, não é você que me pede, mas, antes, eu que ofereço.

– Tem certeza?

– Não perca mais tempo comigo, Bassânio. Vá e informe-se por seu lado que eu, do meu, farei o mesmo. Busque onde há dinheiro para emprestar. Eu me espantaria se depois de procurar por certo tempo nada tenhamos obtido com meu crédito.

PÓRCIA E OS TRÊS COFRES

Pórcia, de tempos em tempos, desabafava:
– Por minha fé, Nerissa, este mundo grande cansa-me à exaustão o pequeno corpo.

Como não reclamar?

A paz de uma existência tranquila e feita de momentos simples e encantadores no seio de uma família que a amava profundamente perdera-se em definitivo desde que o pai falecera. Apaixonado, mas antes de mais nada preocupado com o futuro da filha, criatura delicada e pouco experiente em suas relações com o mundo, ele sempre se inquietara com o destino dela porque apenas uma antiga dama de companhia e os empregados da luxuosa construção conhecida como Belmonte fossem as únicas pessoas a conviver com Pórcia. Nada o angustiava mais do que os muitos pretendentes que certamente apareceriam quando a notícia da fabulosa herança que recebera se espalhasse por Veneza e pelas muitas embarcações que nela aportavam. Temia que a filha acabasse nas mãos de algum salafrário que a privasse de uma vida decente e com todos os luxos a que estava acostumada desde que nascera. Homem cauteloso e previdente, cercara Pórcia de cuidados, sendo os três cofres o mais engenhoso.

– Sinceramente, senhora, acreditais no que dizeis?
– Estarei errada? É o que dizeis, Nerissa?
– Longe de mim tentar censurá-la ou dizer que estais pelo menos equivocada, minha senhora.
– Mas...
– Como?
– Sempre há um "mas" em nossas conversas, não é mesmo?
– Sei quanto recrimina o ato de vosso pai...
– Recriminar? Achas mesmo que tenho tal oportunidade?
– Senhora, por favor...
– Nunca tive tal oportunidade.
– Exageras...
– Como posso ter exagerado se nem tomei parte na decisão de meu pai? Como posso se nada sou além de uma filha viva que precisou se dobrar à vontade de um pai morto e, portanto, nem tenho direito de recusar quem me desagrada e muito menos escolher quem desejo? Estranho?
Muitas pessoas talvez considerem mais adequada a palavra "bizarro" ou mesmo "extravagante". De todo modo, foi o que o falecido senhor de Belmonte, o zeloso pai de Pórcia, decidiu fazer algum tempo antes de falecer.
– Vosso pai foi sempre a virtude encarnada, e pessoas iguais a ele, ao morrer, têm inspirações felizes – dizia e repetia Nerissa sempre que se via envolvida em tais discussões com a bela e inconformada Pórcia. – Tenho a mais absoluta certeza de que a solução dos três cofres foi a maneira mais sensata que ele encontrou para resguardá-la de aventureiros e espertalhões.
Pórcia alcançou-a com um olhar contrariado e um sorriso zombeteiro.
– Achas mesmo? – indagou.
Os três cofres. Sempre que Pórcia pensava neles, sua alma confrangia-se de irritação e inconformismo. Indignava-se ao pensar que realmente teria passado pela cabeça do pai que tal estratagema seria eficiente para protegê-la de todo pretendente mal-intencionado.

Absurdo! Maior deles!

Ele a chamara de loteria. Uma loteria concebida por ele a partir de três cofres – um de ouro, outro de prata e um terceiro de chumbo. Quem escolhesse segundo o modo de ele pensar, ou seja, escolhesse o cofre que seu pai considerasse bom, também seria considerado aquele que a amaria de verdade, e ela estaria contrariando o pai se não o aceitasse. O grande dilema, verdadeiro nó inextricável, era que, quando o cofre era o certo, Pórcia nem sequer cogitava casar-se com o pretendente em questão.

– Lembrais do príncipe napolitano? – perguntou Nerissa depois que Pórcia a questionou sobre a justeza do exasperante jogo proposto pelo pai para que se casasse com um homem que preenchesse suas condições.

– Deus me livre, não passava de um potro chucro. Ele não fala de outra coisa a não ser de cavalos, cavalos e mais cavalos. É tanta falação equina que cheguei a considerar que a mãe dele tivesse partilhado a cama com um ferreiro.

– E o conde palatino?

– Esse é arrogante e mal-humorado. Toda vez que olho para ele, pareço ouvir "Se não vai me escolher, falai logo!"

– Monsieur Le Bon?

– Aparenta e se enxerga como verdadeira perfeição humana. Casasse com ele, seria incapaz de amá-lo, pois sua autoestima me faria acreditar que casara com um homem e me deitaria com uns vinte, tantas são as suas qualidades.

– E Falconbridge, o jovem barão inglês?

– Não sei o que dizer. Ele não me compreende, e eu muito menos a ele. Não fala nem francês, italiano ou latim e, cá entre nós, até seu inglês é ruim. Veste-se como mostruário de vendedor itinerante: o gibão é italiano, os calções largos certamente foram comprados na França, o gorro é indubitavelmente alemão e suas maneiras se constituíram em toda parte.

– Mas do escocês gostaste, não?

– Pobre poltrão. Foi esbofeteado com ou sem razão por seu vizinho inglês e recebeu outras tantas bofetadas do francês.

– E o que dizer do jovem alemão, sobrinho do Duque da Saxônia?

— Um espetáculo apavorante: repelente pela manhã, quando ainda não se entregou à embriaguez; indescritivelmente nojento à tarde, quando já está embriagadíssimo. Ao anoitecer, seu pior momento: pouco pior do que um homem, pouco melhor do que um animal. Tudo é preferível a me casar com uma esponja.

Diante de candidatos tão abomináveis e comportamentos tão execráveis, pois eles pouco faziam questão de ao menos aparentar algum interesse por ela, Pórcia dizia e repetia:

— Nenhum me interessa!

Nessas horas Nerissa sorria e se divertia ao lhe informar:

— Acalmai vosso coração, senhora, pois todos sem exceção já deixaram clara a intenção de voltar para suas casas, pois, não havendo outra maneira de fazer a corte e conquistar vosso interesse, fogem da imposição de vosso pai com relação aos cofres.

— Acabarei virgem e portanto casta, se depender dessa loteria esdrúxula inventada por meu pai!

— Lamentavelmente, senhora...

— Não se perderá nada, acredite, pois não há nenhum dentre esses pretendentes que eu não me encante de ver o mais distante possível desta casa.

— Será mesmo, senhora?

— Não tenho a menor dúvida. Não pus os olhos em nenhum homem que pudesse pelo menos se candidatar e chamar a minha atenção.

— Ah, não vá tão longe em tais comentários, por favor.

— De que estais falando, Nerissa?

— Acaso não lembrais dos tempos em que vosso pai ainda vivia e entre nós esteve um veneziano, um jovem soldado e estudante, acompanhando o Marquês de Montferrat?

— Ah, sim. Se não me engano chamava-se Bassânio...

— Esse mesmo. De todos os homens em que pus os olhos e estiveram aqui em Belmonte, foi o que julguei mais adequado e digno de uma bela esposa como a senhora.

Repentinamente, um dos criados entrou e, encaminhando-se para as duas mulheres, informou:

– Senhora, os quatro estrangeiros estão a vossa espera para apresentar suas despedidas, e acabou de chegar um emissário de um quinto, o Príncipe de Marrocos, informando que o príncipe, seu amo, chegará em Belmonte ainda esta noite.

Pórcia bufou, desanimada, e resmungou:

– Pudesse eu apresentar as boas-vindas a este quinto pretendente, como fiz aos quatro que partem, ficaria imensamente feliz.

SHYLOCK

O olho direito de Shylock estreitou-se até aparentar estar fechado, a abertura denunciada pela centelha de interesse que o iluminou e fixou-se no rosto ansioso de Bassânio. Um sorriso matreiro abriu caminho pela longa barba grisalha e perdurou por uns instantes até que ele disse:

– Três mil ducados?

Bassânio, ansioso, anuiu:

– Sim, senhor. Por três meses.

– Por três meses – repetiu Shylock, os olhos deambulando pela multidão que ia e vinha, atarefada, pela ampla praça onde Bassânio o abordara enquanto se encaminhava para a pequena loja de Tubal, um dos poucos amigos que tinha em Veneza ou em qualquer lugar deste ou de outro mundo onde estivera.

– Dos quais, como já lhe disse, Antônio, meu parente, servirá de fiador – explicou Bassânio. – Decerto você o conhece, pois não?

– Quem não conhece Antônio em Veneza, meu bom homem? – Shylock endireitou o corpo magro e ossudo dentro da larga túnica negra que lhe chegava praticamente até os pés.

– Então? Seria possível me dar a resposta com alguma brevidade?

– Três mil ducados e Antônio como fiador, é assim mesmo?

– Compreendeste bem. Então? O que responde?
– Antônio é certamente um bom homem...
– Acaso você já ouviu alguma afirmação em contrário?
– De maneira alguma, meu jovem, de maneira alguma. E posso assegurar que não serei o primeiro a desmerecer seu honrado nome com alguma infâmia.
– Então...
– Nada há de desabonador quando dele falamos, mas você certamente concordará comigo quando digo que, como fiador, a figura de Antônio é inatacável, mas na verdade seus bens, apesar de respeitáveis, são hipotéticos.
– Como assim?
– Flutuam nas águas traiçoeiras de mares imprevisíveis, e apesar de seus galeões transportarem verdadeiras fortunas, encontram-se espalhados mundo afora e à mercê do imponderável. Uma simples tempestade nas costas inglesas pode pôr a pique até o mais imponente de seus galeões. Os piratas que infestam os mares perigosos do Golfo do México já levaram mais de um dos ricos burgueses do Rialto à falência com seus ataques, tanto ou mais do que a imperícia de marinheiros beberrões que infestam as tripulações de todas as embarcações que entram e saem de nosso porto todos os dias...
– Apesar disso, não há um homem sequer que possa dizer que Antônio lhe deve um único ducado, não?
– Absolutamente! A fiança dele é aceitável.
– Com certeza.
– Acredito piamente nisso, mas gostaria de conversar com o próprio Antônio. Seria possível?
– Venha cear conosco.
– Ah, como não. Irei prazerosamente partilhar de sua mesa, em especial me deliciar com seu porco...
– Não precisará fazê-lo se assim não o desejar.
– Ouça bem, meu jovem: venderei e comprarei com cristãos, decerto que conversarei com você, andarei em sua companhia e não me

importarei em ir ainda mais longe em se tratando de negociar com os dois. No entanto, em tempo algum comerei com vocês e muito menos beberei ou rezarei... – Shylock calou-se abruptamente ao perceber que o olhar de Bassânio fixara-se em algum ponto às suas costas, de onde provinha um burburinho inquieto de vozes. – Mas que barulheira é essa?

Bassânio sorriu ao ver Antônio desvencilhar-se de um pequeno grupo de comerciantes e avançar na direção de ambos.

– É o senhor Antônio – informou.

Shylock calou-se, rilhando os dentes com irritação. Impossível dissimular a grande contrariedade e a irritação que o dominavam quando seus olhos cruzavam com os de Antônio. Como não o fazer? Odiava-o por ser cristão, mas ainda mais por ser um dos principais responsáveis pelas dificuldades que enfrentavam seus negócios em Veneza.

Amaldiçoava-o pela simplicidade de seu comportamento, mas, antes de mais nada, por emprestar dinheiro gratuitamente e por isso baixar a taxa de juros entre ele e os outros prestamistas, que amealhavam suas fortunas no desespero e nas dívidas que volta e meia assombravam os ricos burgueses do Rialto. A bem da verdade, odiava Antônio tanto quanto este o desprezava. Lembrava-se dos insultos que ele lhe dirigia sempre que o encontrava explorando a miséria humana, não perdia uma oportunidade de condenar seus negócios e o lucro que auferia de seus empréstimos. Não, de maneira alguma o perdoaria por tudo o que fazia e dizia sobre ele e sua gente.

Percebendo-o calado, os olhos acompanhando a lenta aproximação de Antônio, que avançava rodeado por um animado grupo de mercadores, Bassânio o chamou:

– Está me ouvindo, Shylock?

O prestamista dissimulou um sorriso e respondeu:

– Estava pensando em quanto disponho de fundos para atender a seu pleito, meu jovem, e infelizmente não acredito que tenha quantia tão vultosa. Mas não se preocupe. Tubal, um rico amigo e hebreu como eu, chega a Veneza ainda hoje e certamente me socorrerá.

– Como assim?

– O empréstimo será por quantos meses mesmo?

Bassânio mal teve tempo de responder, pois no mesmo instante Antônio aproximou-se de ambos e o chamou, os olhos buscando Shylock com mal-disfarçada hostilidade.

– Seja bem-vindo, senhor Antônio – cumprimentou Shylock, forjando tão falsa receptividade que o constrangimento incomodou a ele mesmo. – Estávamos falando exatamente do senhor.

– Imagino do que se trata – admitiu Antônio secamente. – Embora eu nunca empreste ou pegue emprestado, e muito menos me sujeite a pagar juros e cobrá-los, por conta da urgência de meu amigo resolvi abdicar de tal hábito para ajudá-lo. Acredito que Bassânio já lhe pôs a par do valor que...

– Sim, ele já o fez – apressou-se em dizer Shylock. – Três mil ducados, não é?

– Por três meses – ajuntou Antônio.

– Certamente, certamente. Três meses e com a sua fiança. Deve ser algo desagradável para o senhor, não?

– Do que fala?

– O senhor acabou de dizer que nunca pegará dinheiro emprestado...

– Nunca!

– Três mil ducados, três mil ducados... deixe-me ver quanto isso vai me render...

Antônio sentia-se aviltado em suas mais fundamentadas convicções. Desprezava Shylock e gente como ele. Sob outras circunstâncias, manteria a maior distância possível e o trataria como a um leproso ou pior ainda, pois pelo menos a um leproso devotaria a piedade cristã que o tornara conhecido entre os moradores de Veneza.

Explorador da miséria humana! Desprezível arremedo de gente!

Os xingamentos deambulavam por sua mente quanto mais Shylock se demorava em seus cálculos secretos. Antônio sabia que aquilo não passava de maneira astuta de divertir-se à sua custa, pois Shylock tinha ciência de quanto Antônio se sentia pouco à vontade em sua companhia.

– Vamos, Shylock, não tenho o dia todo! Desembucha de uma vez: podemos fazer um acordo?

Shylock sorriu, debochado, e comentou:

– O mundo realmente dá muitas voltas, não é mesmo, meu caro senhor Antônio?

– Do que o senhor está falando?

– Quantas vezes o senhor me encontrou no Rialto e debochou do meu dinheiro e da maneira como eu o ganhava, vivendo dos juros que cobrava? Lembra-se disso?

– E o que isso tem a ver com o caso?

– Recorda-se por acaso das palavras horríveis como se referiu a mim?

– O senhor mereceu cada uma delas.

– Se assim prefere crer...

– Sempre foi a verdade.

– Que assim seja.

– Assim é! – Antônio impacientou-se e resmungou: – E afinal de contas, o que o senhor deseja com essa falação inútil? Vingar-se?

– Nem um pouco. A satisfação que encontro ao tê-lo na minha frente, necessitando de meu dinheiro, o mesmo dinheiro que o senhor desprezou desde sempre, já me basta. Agora está claro que precisa de mim, e o senhor não pode imaginar como isso me deixa feliz. Venha! Vamos, diga que precisam de meu dinheiro! Lembra que me chamava de "cachorro"? Fosse eu vingativo e lhe perguntaria: "Será possível que um cachorro empreste três mil ducados a qualquer um?"

– Satisfaz humilhar-me antes de me emprestar seu dinheiro, é isso?

Shylock entrincheirou-se atrás de sorriso ainda maior, e como a deleitar-se um pouco mais em escarnecer de Antônio, continuou:

– Ainda na última quarta-feira, meu bom amigo cuspiu no meu rosto; ontem, me chamou de cão, e agora, em troca de tais cortesias, preciso emprestar-lhes todo esse dinheiro?

– Em algum momento lhe pedi que me emprestasse dinheiro como a um amigo? Pois se assim pensou, seu erro foi grandioso. Empreste-me como a um inimigo, pois caso eu falte com o compromisso e não o pague, com maior alegria me extorquirá tudo o que certamente estarei devendo.

A luz perversa de um ódio muito antigo e profundo espalhou-se vagarosamente pelo rosto enrugado de Shylock. Satisfação. Ele estava muito satisfeito. Tolice negar, e certamente não o faria. Muito pelo contrário, o que se entrevia entre as rugas profundas do rosto ossudo e hirsuto era um inesperado prazer que nem Bassânio e muito menos Antônio sabiam explicar muito bem.

– Incompreensível tanta raiva e contrariedade contra quem se presta a esquecer todas as injúrias sofridas até hoje e sanar a vossa necessidade com um dinheiro que até há alguns minutos desprezava – disse Shylock. – Eu pretendia ignorar esses anos de desprezo e ódio, e apesar de tudo, ainda é uma proposta amiga que tenciono lhes fazer.

– Acredito – disse Antônio, com desprezo. – Muito amiga...

– Já lhe darei prova dessa amizade.

– Realmente? De que modo?

– O senhor irá comigo neste momento ao notário e assinará um documento da dívida, no qual, por brincadeira, declarará que se no dia tal ou tal, em lugar escolhido de comum acordo, não pagar a quantia que me deve, concordará em ceder, como forma de pagamento, meio quilo de tua bela carne, que de teu corpo será cortada onde eu bem escolher.

– Aceito! – gritou Antônio, com entusiasmo e desabrida arrogância. – Traga-me tal documento e eu, além de assiná-lo, ainda gritarei aos quatro ventos que mesmo um judeu é capaz de ser bondoso.

Bassânio inquietou-se. Não sabia exatamente o que tanto o incomodava na expressão matreira que identificava no rosto de Shylock. Uma armadilha. Teve a estranha impressão de que Antônio se deixara atrair para uma perigosa armadilha. A exótica proposta de Shylock aparentava muito mais do que realmente se via e não lhe soava como uma brincadeira.

– Nunca permitirei que assine tal documento! Prefiro continuar passando necessidade a ter de carregar o peso absurdo de tal decisão em minha consciência.

– Não se preocupe com isso, Bassânio. Eu vos asseguro que daqui a dois meses, ou seja, um mês antes de ter de honrar o compromisso assumido com Shylock, eu terei quitado a dívida.

Shylock colocou-se entre ambos e, vivamente ofendido, protestou:

– Como são ingratos e desconfiados os cristãos, meu bom deus! Suspeitam de todos e de tantas maneiras que nem se dão ao trabalho de parar e pensar.

– Sobre o quê? – questionou Bassânio.

– Qual seria o meu lucro se Antônio não me pagar a letra? Que proveito eu tiraria de meio quilo de sua própria carne?

– Se assim é, por que fazer tal proposta?

– Só para lhe ser amável.

– E espera mesmo que acreditemos nisso? – perguntou Bassânio.

– Na verdade, não espero nada de cristãos. Façam como bem entenderem. Se aceitarem minha proposta, ficarei feliz; caso contrário, passem bem e me deixem em paz.

Antônio gargalhou e afirmou:

– Pois bem, Shylock, se isso o deixa feliz, eu assinarei a letra.

– Assim é que se fala – disse Shylock. – Encontre-me dentro de algumas horas na casa do notário. Dar-lhe-ei todos os dados para preparar essa letra tão engraçada e lá ficarei esperando pelos dois.

Shylock saiu apressadamente. Ainda preocupado, Bassânio admitiu:

– Não confio nas palavras de um biltre como aquele judeu! Ele deve estar tramando algo.

– Não se preocupe, Bassânio – tranquilizou-o Antônio. – Seja lá o que for que esteja passando pela cabeça dele, meus barcos estarão de volta um mês antes.

LANCELOTO E SEU VELHO PAI

    Escapa à compreensão e a todo sentido essa insólita relação entre nós e a vida. Talvez seja por isso e por nenhum outro motivo que nos entretemos e tanto nos ocupamos em dar sentido a ela, pois se assim não fosse, como explicar a situação, mas antes de mais nada a relação entre Lanceloto e seu pai?

    Nenhuma explicação se encaixaria nas idas e vindas de um com o outro e no tempo em que, juntos, foram pai e filho e mais adiante, quase que completos desconhecidos.

Explicar?

Perda de tempo. Nem pensar.

    Nos primeiros anos ambos partilharam o mesmo teto com Margarida, mãe de um, esposa do outro. Teto que mudava com frequência, tantas foram as casas de que o velho Gobbo, pai de Lanceloto, se fizera servo e na verdade pau para toda obra. Seguiu-se o progressivo distanciamento que por fim os separou da mãe e esposa, falecida mais de uma década antes, lançou Gobbo à miséria e finalmente Lanceloto a trabalhar para Shylock. E assim ficaram os dois separados e abandonados a seus próprios infortúnios, Lanceloto à mercê da mesquinhez e da extrema avareza do prestamista, e Gobbo à indigência e à pobreza pelas ruas de

Veneza, vivendo da boa vontade de comerciantes e mercadores, muitos ex-patrões, ou das poucas moedas que angariava à caridade de alguns.

Pois bem, e foi assim que o aleatório, regente da existência humana, os colocou na mesma rua. Farto dos incontáveis padecimentos nas mãos de Shylock, Lanceloto perambulava sem destino certo, buscando o paradeiro de Bâssanio, interessado em colocar-se a seu serviço e livrar-se definitivamente do judeu que havia anos não fazia outra coisa que não fosse explorá-lo. Naquela manhã abandonara sua casa no firme propósito de não mais retornar, e apenas com uma vaga indicação acerca da residência de Bâssanio.

Nem sequer o conhecia e sobre ele construíra imagem e qualidades a partir de alguns de seus antigos empregados com quem conversara em uma ou outra taberna. Sem maiores planejamentos e empurrado a tal empreitada pela mais simples e óbvia falta de alternativa, digladiara-se, angustiado, contra os dois pedaços de sua existência, ouvindo-lhes os conselhos e ponderações, fossem bons, e portanto cautelosos, ou astuciosos, e portanto eivados de artimanhas e ousadias, algumas vezes no limite da própria maldade, até que na manhã daquele dia foi-se simplesmente.

O que tinha a perder?

Nada, responderia, diante da realidade cruel da miséria e da exploração a que fora confinado por Shylock, agarrando-se à possibilidade de auferir mesmo que modesto lucro com aquela troca de patrão. Orientando-se apenas pelas pedras das ruas, distraiu-se, antegozando os melhores momentos que acreditava ser capaz de encontrar a serviço de Bâssanio. Ensimesmou-se cada vez mais e nem ouviu quando uma voz roufenha e arrastada o chamou:

– Ei, mestre moço, poderia me fazer o obséquio de dizer qual o caminho da casa do mestre judeu?

Lanceloto inicialmente não o ouviu e, confinado dentro de suas mais caras apreensões, seguiu em frente, passando ao lado do velho que, apoiado em um pequeno cajado, vestia trajes andrajosos recendendo aos piores odores e deixando claro a penúria em que vivia. Somente novas e repetidas insistências foram capazes de levá-lo a parar e voltar-se para seu interlocutor.

Sobressaltou-se ao reconhecê-lo. Era seu pai. Velho, apavorantemente trajado de farrapos, os olhos remelentos e quase cegos, mais mesmo assim, seu pai, o velho Gobbo.

– Por gentileza, jovem mestre, saberia me dizer se este é o caminho para a casa do mestre judeu de nome Shylock? – insistiu ele.

– Dobrai à direita na primeira esquina, mas na esquina próxima de todas, à esquerda, ou seja, na mais próxima o senhor não precisará dobrar nem para a direita nem para a esquerda, mas sim diretamente para baixo para chegar à casa do judeu – informou, ainda abobalhado, esquadrinhando a patética figura do pai que aparentemente se fazia incapaz de reconhecê-lo.

– Minha nossa, mas que caminho mais confuso! Sabe me dizer se um tal de Lanceloto, que me asseguraram morar com ele, realmente mora ou é outra informação errada?

– Fala do jovem mestre Lanceloto?

– Ele não é mestre coisa nenhuma!

– Como não?

– Ele não passa do filho de um homem pobre, extremamente honesto mas, por outro lado, inacreditavelmente pobre.

– Seja lá o que for o pai dele, eu lhe asseguro que estamos falando do jovem mestre Lanceloto.

– Se assim vos agrada, que seja.

– Agradando ou não, fato é que o Lanceloto a que o senhor se refere não se encontra mais entre nós.

– Como é?

– Ele está morto, meu bom homem.

– Hein?

– Foi para o céu.

– Que Deus não permita tal coisa!

– Por quê?

– Ele era meu filho, jovem mestre. Meu único filho e sustentáculo de minha vida na velhice.

A brincadeira acabou. Lanceloto se cansou dela. Deixou-a de lado em um rompante de contrariedade e, depois de dois ou três palavrões, resmungou novamente:

– E eu sou lá alguma bengala? Um mourão? Pareço alguma estaca ou escora?

O espanto de Gobbo não foi menor:

– Do que fala, jovem mestre?

– Jura, pai? O senhor realmente não está me reconhecendo?

– Tenha compaixão deste velho cego, jovem mestre. Não foi a minha intenção aborrecê-lo. Mas, por caridade, diga se meu filho está morto ou não.

– Não está de fato me reconhecendo... – balbuciou Lanceloto, um tanto espantado.

– Perdoai, senhor, mas a minha miopia anda cada vez pior e a cada dia tenho mais dificuldade em enxergar.

– Meu velho, uma vez que não é capaz de me enxergar e reconhecer em mim seu único filho, peço que me dê sua bênção, pois sou efetivamente seu filho.

Gobbo achegou-se a ele, estreitando os olhos em um esforço inútil para enxergá-lo melhor, e por fim pediu:

– Por favor, senhor, fique de pé, pois, por mais que possa magoá-lo, não creio que seja meu filho Lanceloto.

– Acabemos de uma vez por todas com essas tolices, velho! Sou Lanceloto. Sou seu filho e seu descendente.

– Infelizmente não consigo acreditar no que me diz, meu amigo e jovem mestre.

– Não sei o que mais posso fazer ou dizer para convencê-lo, meu bom homem. No entanto, acredite ou não, sou Lanceloto, criado de Shylock, o judeu, e tenho certeza de que sua esposa Margarida foi minha mãe.

A luz de um amplo sorriso espalhou-se pelo rosto apergaminhado de Gobbo. No momento seguinte, ele foi inclinando o rosto na direção do rosto de Lanceloto, até que seu nariz tocasse o dele.

– Realmente, ela se chamava Margarida – admitiu, um travo de emoção lhe dificultando a fala. – Sendo assim, posso jurar que, se o senhor for Lanceloto, é minha própria carne e sangue. Deus seja louvado, meu filho!

– Finalmente!

– Espantoso como o senhor tem mais pelos no queixo do que Dobbin, meu cavalo, tem na cauda. Como cresceu o meu menino!

– Acredito, meu pai. Da última vez em que o vi, Dobbin tinha mais pelos na cauda do que eu no queixo.

– Faz tempo realmente. Vamos, vamos. Conte o que tem feito. Faz tanto tempo!

– Que gostaria de ouvir?

– Como se relaciona com seu senhor? Trouxe algum presente para ele? Ele o trata bem?

– O senhor poderá ter uma ideia de como são as nossas relações se souber que decidi ir embora ainda hoje.

– Santo Deus!

– Meu amo é judeu e nem em sonhos pretendo lhe dar algum presente. Quem sabe uma corda, e assim mesmo para ajudá-lo a se enforcar.

– Existirá criatura tão abominável?

– Certamente. Eu trabalhei até hoje de manhã para ele. Morro de fome a seu serviço. Sou praticamente pele e osso, e se há alguém a quem gostaria de dar um presente, este seria o senhor Bassânio, a quem procuro faz tempo e, pelo que soube, se dele fosse servo, receberia librés novas e raras, alimentação decente e um tratamento digno.

– Pobre filho... – Gobbo calou-se e, surpreendido pelo sorriso que emergiu dos lábios finos do filho, os olhos fixos em algum ponto às suas costas, perguntou: – O que foi, Lanceloto?

– Deus parece ter ouvido as minhas súplicas – respondeu ele, apontando para a frente e insistindo: – Veja quem está vindo logo ali...

– Bem sabe que meus olhos de muito pouco servem nessas horas, meu filho.

– Eis aquele que procuro tão desesperadamente e que está vindo aí!

Era Bassânio, que saindo de um beco próximo, acompanhado de vários empregados, se aproximava e lhe lançou um olhar de curiosidade ao se ver observado com persistência e interesse por Lanceloto.

Apesar da fragilidade extrema de seus olhos, a audição era preciosa e sempre vigilante. Mal ouviu o filho mencionar o nome de Bâssanio, o pobre Gobbo alcançou tanto seus passos quanto os dos companheiros, não apenas ouvindo o que diziam mas pressentindo a aproximação de todos.

– Deus o abençoe, Vossa Senhoria – disse, virando-se vagarosamente e colocando-se em seu caminho.

– Quer alguma coisa de mim hoje, Gramercy? – perguntou o recém-chegado, reconhecendo-o.

Mais do que depressa, esbugalhando os olhos debilitados em um esforço extremo para alcançar uma visão melhor, Gobbo apontou para Lanceloto e informou:

– Vê esse menino aqui ao meu lado, senhor?

– Decerto que sim – respondeu Bâssanio.

– É meu filho, um pobre menino que vive como cão e gato com seu amo.

– Sirvo a um judeu rico que vós muito certamente conheceis e como meu pai irá lhe explicar... – disse Lanceloto, tenso.

– A verdade é que, por conta dos maus-tratos que recebe cotidianamente, meu menino... – precipitou Gobbo.

Bâssanio impacientou-se e, interrompendo a ambos, pediu:

– Talvez fosse melhor que apenas um dos dois falasse...

Pai e filho se entreolharam e, por fim, Lanceloto admitiu:

– O pedido é impertinente mesmo para mim...

– E do que se trata? O que deseja?

– Servir-vos, meu senhor.

– Conheço-o e hoje mesmo, quando estive com Shylock, conversamos sobre este assunto. No entanto, o senhor deve convir que não é um grande negócio deixar o serviço de um judeu rico para se tornar criado de um homem modesto e sem maiores riquezas.

– Que assim se faça, não me importo.

– Muito bem dito – Bâssanio virou-se para Gobbo e pediu: – Pai, vá com seu filho e o ajude a se despedir do antigo patrão. Depois pergunte onde moro.

Lanceloto mal cabia em si de contentamento e seu sorriso alargou-se ainda mais quando Bâssanio virou-se para uns dos servos e ordenou:

– Mandai dar-lhe a libré mais luzidia.

— Vou me despedir do judeu num abrir e fechar de olhos – prometeu, afastando-se na companhia do pai.

Bâssanio esperou que os dois se afastassem junto com um dos criados antes de virar-se para outro, seguramente o mais velho dentre todos, um homem de estatura mediana e de constituição maciça de nome Leonardo.

— Por favor, Leonardo, não deixe faltar nada para a ceia com meus amigos hoje à noite.

— Podei confiar em mim, senhor – assegurou o criado, cofiando os longos bigodes repetidamente e, por fim, torcendo as pontas para cima.

Afastou-se e mal entrou em uma pequena viela à esquerda, quase chocou-se com Graciano, que ao vê-lo perguntou:

— Onde está seu amo?

— Ali, senhor, passeando na praça – respondeu, desaparecendo no interior de uma grande loja.

Mal o viu, Graciano o chamou e rumou ao seu encontro.

— Tenho um favor a lhe pedir – disse.

— Considere atendido – garantiu Bassânio. – Do que se trata?

— Preciso ir com você a Belmonte.

— Se é realmente preciso, irá comigo. Todavia, eu lhe pediria encarecidamente que modere seus modos. Você sabe que tem um temperamento intempestivo, que muitos interpretam como grosseiro e mesmo selvagem, o que já nos envolveu em situações complicadas. Seria possível aquietar, mesmo que por pouco tempo, seu espírito inquieto e assim não colocar a mim e a meus projetos em má situação? Tenho fundadas esperanças de ser bem-sucedido.

— Senhor Bassânio, se eu não cumprir de maneira atenta e generosa cada regra de cortesia que lhe passar pela mente, jamais confie em mim em qualquer outra ocasião – assegurou Graciano, enfático e até mesmo contrariado com as preocupações manifestadas pelo amigo com relação a seu temperamento.

— Queira me perdoar se lhe digo sinceramente que esperarei antes de ver confirmada essa promessa.

— Muito justo!

INFORTÚNIOS DE UM PRETENDENTE

    O príncipe chegou quando outros pretendentes se despediam e durante o resto do dia se dedicou a perambular pela suntuosa construção, entregando-se a toda sorte de indagação que o levasse a compreender a bela Pórcia, mas sobretudo a misteriosa loteria dos três cofres engendrada pelo pai da donzela com o intuito de controlar ou pelo menos tentar controlar a escolha de um marido.
    A lisonja se fez óbvia moeda de troca, e sempre que podia ele se fazia cerimonioso e agradável, cobrindo-a de elogios e se mostrando humilde aos olhos de todos. O Príncipe do Marrocos não se apresentou pomposo ou excessivamente educado. Por outro lado, esmerou-se em humildade aceitável e jamais algum tipo de despojamento ascético. Tampouco arrogou-se o direito de dar ordens a criados e servidores que não lhe pertencessem. Guerreiro temível e de fama reconhecida, por mais incrível que parecesse não se estendeu em horas intermináveis narrando feitos heroicos ou batalhas intermináveis. Apresentou-se frugal em todas as refeições que lhe foram servidas e, até por força de sua religião, seguidor estrito que sempre fora da fé islâmica, absteve-se de levar aos lábios a menor gota de bebida alcoólica. Um modelo de virtude, acreditou-se.

Exímio manipulador das palavras — sabia-se que boa parte de suas conquistas redundaram da hábil e insidiosa utilização delas —, o elegante Príncipe do Marrocos, após ser apresentado aos meandros do engenhoso processo que o levaria a participar da loteria do pai de Pórcia, considerando-a tão absurdo quanto inextricável, resolveu se valer de um sedutor atalho para escapar à derrota que vitimara os muitos pretendentes que de tempos em tempos enchiam os muitos quartos de hóspedes de Belmonte.

Justiça seja feita, ele era um dos melhores a pôr os pés naquele lugar. A oratória se apresentava apaixonante e envolvente. As palavras fluíam de maneira agradável, sem pressa e sem necessidade de encantar. Se esse fosse o objetivo, tudo era apresentado como encanto ou deslumbramento (a definição se fazia a partir de quem o estivesse ouvindo) racional. Nem paixão nem sofisma. Tudo que o Príncipe do Marrocos buscava era alcançar quem quer que fosse (e no caso específico de Belmonte, essa presa era a belíssima Pórcia) pela inteligência de seus argumentos. Infelizmente, o esforço foi grande mas inútil. Alguns segundos após ouvir silenciosamente, por quase duas horas, Pórcia limitou-se a lhe lançar um olhar singelo e declarou:

– Indispensável será sempre tentar a sorte, meu bom amigo. Por melhores que sejam todos os incontáveis argumentos apresentados, eu me comprometi com meu bom e generoso pai. Ou o senhor não se arrisca na escolha e com isso, não sendo feliz em minha companhia, fica interditado de nova busca da felicidade, ou simplesmente parte e mantém suas chances. Melhor refletir bem e demoradamente.

Homem obstinado e afeito a desafios, o Príncipe do Marrocos ignorou a advertência e, sustentando-lhe o olhar, afirmou:

– Não tenho a intenção de me ocupar em demasia de longas reflexões. Portanto, partamos de uma vez para essa grande aventura.

– Que assim seja – aquiesceu ela.

O primeiro cofre era de ouro e num dos lados lia-se a seguinte inscrição:

"Quem me escolher, ganha o que muitos querem".

Na lateral do cofre de prata, a inscrição dizia:

"Quem me escolher, ganha o que bem merece".

E por último, em lateral oposta de um pesado cofre de chumbo, a advertência era a seguinte:

"Quem me escolher, arrisca e dá o que tem".

Enigmáticos. Os três.

Confuso e desconfiado, o Príncipe do Marrocos esquadrinhou os rostos silenciosos que o espreitavam na luminosidade baça do quarto.

"Como saber se fiz a escolha acertada?"

A pergunta pairou no vazio por alguns instantes e por fim perdeu-se no silêncio, sem uma resposta que o convencesse.

Empertigada e sem demonstrar sentimento perceptível de aprovação ou desaprovação, Pórcia, ante a hesitação do príncipe, limitou-se a informar:

– Num desses cofres há um retrato meu e, se o senhor o encontrar, logo serei sua.

– Quanto tempo tenho?

– Use o tempo de que precisar, meu príncipe. Não há pressa alguma.

Mais uma vez o Príncipe do Marrocos debruçou-se sobre os três cofres.

Que fazer?

Como pensar?

Que pensar?

Por onde começar, tendo à frente tamanho desafio e perplexidade?

O cofre de chumbo, o mais pesado e menos valioso, aparentemente não estimulava ninguém a assumir o risco de escolhê-lo, pois talvez nada guardasse a não ser um grande engodo e a matreirice de um pai zeloso que muito provavelmente confinaria a pobre filha em uma existência celibatária e infeliz. Por outro lado, exatamente por ser destituído de valor, o plúmbeo desafio talvez ensejasse o maior valor dentre os três cofres. Ele se arrependeria se não o abrisse?

O Príncipe do Marrocos alcançou Pórcia com um demorado olhar de dúvida, o qual ela sustentou em silêncio por certo tempo, antes de finalmente, sem a menor contrariedade ou impaciência, dizer:

– Use o tempo de que necessitar para escolher.

Ele encaminhou-se para o segundo cofre, o de prata, e de imediato lhe agregou importância pelo simples fato de ele ser um metal bem mais valioso.

Mas isso bastaria?

Preferiu ignorar o metal e se ateve ao que nele estava escrito: "Quem me escolher, ganha o que bem merece".

E o que seria?

Mais dúvidas.

"O que mereço, já que tenho muito?", ele pensou. Por que régua deveria medir a promessa vaga de alguém que não o conhecera nem conhecera os demais pretendentes de Pórcia?

Outro engodo?

Titubeou. Inquietou-se quando se agarrou ao cadeado que fechava o cofre e voltou-se para a figura impassível de Pórcia.

Ela nada disse. Nem sequer moveu um músculo do rosto pétreo, cujos sentimentos ninguém entrevia.

Debruçou-se finalmente sobre o enigma que poderia estar escondido dentro do cofre de ouro...

"Quem me escolher, ganha o que muitos querem."

Certamente seria a donzela.

Seria?

Óbvio. Muitos a queriam, não queriam?

Pretendentes não vinham de tempos em tempos para vencer o desafio dos três cofres e conquistá-la?

Olhou-os mais uma vez, e depois mais outra, e mais outra, e mais outra, um inferno de dúvida e crescente irritação.

Chumbo ou ouro? Prata talvez?

Que fazer?

"O chumbo não vale nada e se o abrir, nada terei além de grande frustração. De prata, nenhum pai apaixonado pela própria filha faria um cofre no qual ofereceria sua submissão a qualquer pretendente, risco demais. O ouro é grande metal e provavelmente o ideal em se tratando de valorizar criatura tão preciosa", refletiu. Um terceiro olhar para Pórcia o fez acreditar ou pelo menos suspeitar que tinha razão.

Teria sido algum gesto que fez? Uma centelha de inquietação que apareceu em seu olhar? Aquela mordida na ponta dos lábios?

Como saber? Possível crer que viu alguma coisa ou simplesmente imaginou?

Num forte repelão, agarrou-se ao cofre de ouro e apressou-se em abri-lo. Inferno! Que decepção!

Nada havia dentro dele senão uma caveira que numa das órbitas vazias nada mais tinha do que um pedaço de papel caprichosamente dobrado. Desdobrou-o, angustiado, triste intuição a lhe dizer o que em seguida pode ler:

>*Nem tudo que reluz é ouro,*
>*Já o disseram muitos sábios em coro.*
>*Tal constatação quase sempre*
>*Acaba em choro,*
>*principalmente por parte daquele*
>*que procura ouro.*
>*Mausoléus não passam de comedouros*
>*Onde vermes em fervedouro*
>*Devoram a paz e a ambição,*
>*Tanto faz.*
>*Carregasse alguma sabedoria*
>*Em tanta cortesia,*
>*E a consulta não se feria*
>*Sem alguma fantasia.*
>*Vá em paz*
>*E por favor, não volte mais.*
>*Vossa ousadia foi castigada;*
>*está fria*
>*E pior,*
>*a troco de nada.*
>*É certo; agora não rio;*
>*Ausente o calor, venha o frio.*

Incapaz de dizer uma única palavra, a alma escrava e entregue a grande vergonha, o Príncipe do Marrocos nem mesmo cumprimentou a bela Pórcia. Reunindo seu barulhento séquito, empurrado por tímido toque de umas poucas trombetas, partiu tão depressa que nem ouviu quando Pórcia celebrou:

– Pronto! Livrei-me de mais um!

JÉSSICA

    Ela aparentava estar real e sinceramente triste. Não havia muito a dizer e menos ainda o que pudesse fazer. O pai era o que se dizia dele e mais um pouco. Espantava-se de Lanceloto ter durado tanto tempo como seu empregado.
    Pobre criatura!
    Quem em toda Veneza acreditaria que fosse filha de Shylock?
    Difícil crer.
    Em nada se pareciam e não apenas em relação à aparência, mas acima de tudo em generosidade e simpatia.
    Jéssica há pouco completara os 20 anos, e os traços delicados realçavam o aspecto frágil e atencioso. A alvura da pele impressionava, e as bochechas salientes e vermelhas se faziam resquício de uma infância, apesar de tudo, vivida em lar tranquilo, administrado pela mãe, da qual herdara as melhores qualidades. Dela ainda herdara os cabelos vermelhos e anelados, a placidez dos olhos de um azul intenso e aquoso.
    Soavam misteriosas as razões pelas quais a mãe da bela jovem se unira em casamento a criatura tão execrável como Shylock. Uma infindável série de relatos explicava com perfeição o motivo de sua morte prematura; explicava também por que Jéssica passara a maior parte do tempo

nas mãos cuidadosas e atentas de empregados como Lanceloto. Foram os muitos criados que Shylock contratava invariavelmente a preço vil e explorava sem dó nem piedade, o principal motivo e a única explicação para serem tantos e de tão breve estadia em sua casa. Com seus esforços e zelo, eles transformaram a jovem na afetuosa e desejada donzela que até entre cristãos encontrava devotados pretendentes.

– Estou muito triste por saber que vai nos deixar, Lanceloto – disse ela, e estava sendo sincera enquanto acompanhava o ex-empregado por um dos corredores da escura e sombria casa que dividia com o pai e, nos últimos três anos, com Lanceloto. – Infelizmente posso te entender tão bem quanto os outros que passaram por essa casa nos últimos tempos. Estamos no inferno.

Lanceloto sorriu e, contemporizador, disse:

– Mas o que é isso, senhora...

– Apenas você e mais um ou outro a tornam minimamente alegre.

– Acredito que haja em suas palavras um certo exagero, bela senhora...

– Não, Lanceloto, e é inclusive por causa disso que lhe dou este ducado – disse Jéssica, e entregou-lhe uma moeda.

Lanceloto devolveu-lhe um sorriso zombeteiro e comentou:

– Veja só como sou inocente. Estava pensando que a moedinha era o pagamento por eu entregar vossa carta para aquele jovem cristão... Como é mesmo o nome dele?

– Lourenço. Você vai vê-lo em uma ceia oferecida por seu novo patrão. Por favor, tome cuidado. Por favor, meu estimado amigo, acautele-se. Não deixe que meu pai saiba que conversou comigo e, muito menos, que leva para mim uma carta para Lourenço.

Tais palavras ainda se repetiam, aflitivas e nervosas, em sua cabeça quando Lanceloto viu a porta escancarar-se e Shylock entrar, os olhos apertados, iluminados pela centelha de uma já conhecida desconfiança, indo dele para Jéssica, ainda de pé atrás do ex-empregado.

– Ah, então sois vós, biltre? – resmungou o prestamista.

– Eu já estava de saída... – informou Lanceloto, precipitando-se na direção da porta.

O risinho debochado de Shylock irritou-o quando ecoou em seus ouvidos.

– Agora seus próprios olhos julgarão a diferença entre o velho Shylock e esse tal Bassânio que tanto e por todos os meios desejou servir, não é mesmo?

– Será? – perguntou Lanceloto, parando na soleira e se virando, fazendo uma careta de pouco caso. – Existirá necessidade de maiores comparações?

– Lá não poderás se empanturrar como fazes aqui... – comentou Shylock. – Nem rasgar tanta roupa.

Percebendo a crescente contrariedade no rosto silencioso, porém irritado de Shylock, Jéssica se adiantou e, colocando-se entre ambos, perguntou:

– Chamou, meu pai?

– Na verdade, não – respondeu o prestamista. – Mas já que está aqui...

– O que deseja? Em que posso ajudá-lo?

– A bem da verdade, em nada. Eu é que pretendia lhe comunicar...

– O quê, meu pai?

– Fui convidado para uma ceia hoje à noite.

– Onde?

– Na casa de um cristão de nome Bâssanio. Não se trata de convite sincero, mas apenas adulação. Nem sei se deveria ir. Ontem andei sonhando o tempo todo com dinheiro e isso sempre me inquieta.

– Devia ir, senhor Shylock – sugeriu Lanceloto.

– Por que diz tal coisa? Sabe de algo que eu não sei?

– Não, mas apenas que meu novo amo andou fazendo grandes preparativos e gastando muito dinheiro para recebê-lo a contento em sua casa. Não ficaria bem se o senhor faltasse ao evento.

– Tudo bem, tudo bem. Não tenciono faltar – Shylock virou-se para a filha e insistiu: – Feche as portas, ouviu bem, Jéssica? Juro pelo cajado de Jacó que não estou com a menor disposição de cear fora de casa, mas se não há alternativa, irei, que remédio, né? – tornou a encarar Lanceloto e, estapeando-lhe o braço, insistiu: – Vai, maroto, corre e diga-lhe logo que estou chegando.

– Agora mesmo, senhor – aquiesceu Lanceloto, precipitando-se na direção da porta e desaparecendo na escuridão que começava a se assenhorear do final do dia.

Reacendida a confiança na alma do velho prestamista, ele voltou-se para a filha e perguntou:

– O que queria aquele estouvado da geração de Agar? Que fazia aqui?

– Despedir-se – respondeu Jéssica. – Apenas isso, despedir-se.

– Verdade?

– Pelo menos foi o que disse e o que efetivamente fez.

– Melhor assim – Shylock continuou olhando para a porta entreaberta, como se ainda lhe fosse possível observar Lanceloto e, melhor ainda, suas intenções. – Bem, Jéssica, vá logo para dentro e faça o que te pedi: feche a porta. É bem possível que eu volte cedo.

LOUCURAS DE AMOR

As fantasias e o pretexto de uma grande festa, daquelas que costumeiramente a endinheirada burguesia comerciante de Veneza costumava organizar em função dos interesses por vezes bem fúteis desta ou daquela família, mas, no caso de Graciano e seus amigos, a ceia fora feita para facilitar a fuga de Jéssica. Na verdade, não haveria festa alguma e tudo que interessava a todos eram os trajes que dissimulariam a fuga. Tudo planejado à perfeição por Lourenço.

– Durante a ceia nós escaparemos e correremos para trocar nossas roupas pelos disfarces – orientou. – Acredito que em menos de uma hora estaremos de volta e Shylock de nada saberá, a não ser, claro, quando já for tarde demais.

Salarino e Salânio tiveram de ser convencidos, alegando o primeiro que os preparativos não foram suficientes e que, portanto, algo poderia dar errado.

– Nem decidimos sobre quais os homens que levarão as tochas do falso cortejo – alegou.

Por seu lado, Salânio argumentava que, por essas e por outras, a brincadeira ficaria sem graça e o mais sensato seria abandonar a ideia e escolher uma nova data. Não fosse a paixão que incendiava o coração de

Lourenço e a impaciência que movia seus atos, muito seguramente nada teria acontecido naquela noite.

– São apenas quatro horas – disse, tenso. – Ainda temos duas horas para nos preparar.

A repentina aparição fez o resto. Mal chegou, Lanceloto passou às suas mãos a carta que Jéssica enviara. Lourenço a leu rapidamente.

As brincadeiras foram igualmente imediatas:

– Posso garantir a todos que é mensagem de amor – brincou Graciano.

Risos.

Lourenço estranhou quando Lanceloto pediu para sair.

– Para onde vai? – indagou.

Lanceloto abanou as mãos em um gesto tranquilizador e informou:

– Ora, senhor, esqueceste? Tenho que convidar o meu antigo amo judeu para cear esta noite com meu novo amo cristão.

Novas gargalhadas. A ansiedade e o nervosismo do homem apaixonado divertia todos à sua volta.

– Cavalheiros! Cavalheiros! Já basta, não? – protestou ele. – Vamos logo nos preparar para nossa mascarada da noite? Eu, por mim, já encontrei meu portador de tocha.

– Certamente! – disse Salarino. – Já estou indo. Nesse momento mesmo.

– O mesmo digo eu – ajuntou Salânio.

– Todos nos encontrarão e a Graciano na casa de Graciano dentro de uma hora – prometeu Lourenço.

Tudo se passou muito rapidamente depois daquele primeiro encontro. Em menos de duas horas, Graciano e Salarino, usando suas máscaras, encontravam-se debaixo da sacada da casa de Jéssica.

– Lourenço nos disse para esperá-lo aqui, não é mesmo? – indagou Graciano.

– Já está tarde – observou Salarino, olhando de um lado para outro, receoso.

– Ah, não se preocupe, meu amigo. Os namorados sempre chegam antes da hora – assegurou Graciano.

Salarino indicou algum ponto na escuridão e disse:

– Acalme-se, meu bom homem. Lourenço está vindo aí!
Lourenço apareceu por fim, esbaforido e apressado, os olhos indo de um para outro, inquietos.
– Jéssica ainda não desceu? – perguntou. – Ela disse que estaria vestida de pajem...
Tanto Graciano quanto Salarino cruzaram os braços sobre o peito e puseram-se a rir do amigo, até que ele mesmo sorriu, constrangido, e desculpou-se:
– Perdoem-me pelo atraso, meus amigos. Prometo que quando for a vez de ambos de raptar suas donzelas, saberei compreender o atraso dos dois e chegarei na hora – olhando para a varanda ainda vazia, insistiu:
– Olá! Por favor, há alguém aí?
Repentinamente, Jéssica debruçou-se na amurada e a luz fria de uma Lua minguante revelou-lhe o rosto pálido e angustiado, uma breve indagação sussurrada noite adentro:
– Quem é?
Lourenço, sorridente e aliviado, mostrou-se à luz e respondeu:
– Sou eu, seu amor...
– Lourenço, a quem amo tanto... Por isso me atrevo às maiores loucuras e despropósitos. Por amor.
– Minha flor...
– Por favor, meu querido, não brinque comigo. Estou morrendo de vergonha usando esses trajes de pajem...
– Vem, querida, não temos tempo a perder. Você será meu porta-tochas.
Jéssica espantou-se:
– Como? Terei eu que iluminar a minha própria vergonha?
– Não atormente seu coração sem necessidade, minha querida. Ninguém vai reconhecê-la, acredite, nessa encantadora fantasia de pajem.
– Ah, meu Deus, o que faço? Que vergonha!
– Vem logo, meu amor. Não temos tempo a perder. Logo, logo na casa de Bassânio começarão a dar pela nossa falta e você sabe bem como seu pai é desconfiado.

Mais uma vez Jéssica desapareceu na escuridão da sacada.

– Amigo Lourenço, você não conquistou uma judia, mas uma deusa... – afirmou Graciano, encantado.

Lourenço sorriu, envaidecido.

– Sei disso, meu bom amigo... Como sei... – balbuciou. – Por tudo o que é mais sagrado, meu coração pertence a ela, pois sinceramente lhe dedico grande amor. E não apenas por sua extraordinária beleza, mas igualmente por sua grande sabedoria e fidelidade. Quero tê-la para todo o sempre.

As palavras se perderam em seus lábios, sem o menor significado, logo que Jéssica apareceu. Tão breve era o tempo que a fuga se fez silenciosa mas, ainda assim, apaixonada.

Muito se riu e outro tanto se contou sobre aquela noite atribulada. O pobre Shylock invariavelmente era motivo de chacotas e toda sorte de piadas dias depois que a filha partiu com Lourenço. Na verdade, as coisas somente pioravam conforme os detalhes iam se juntando à primeira narrativa, já de todo bem engraçada. O prestamista sentiu muita raiva dos principais personagens da fuga, incluindo nessa lista a figura odiada de Antônio.

– Mal o casal de apaixonados embarcou, Bassânio levantou âncoras e partiu – Salarino gargalhava estrondosamente entre um detalhe e outro, sempre acrescentando uma história aqui e outra ali, abrindo pequenas brechas na narrativa para acrescentar um ou outro comentário maledicente a respeito da reação de Shylock assim que soube da fuga de Jéssica com um cristão. – O biltre do judeu gritava tanto que despertou metade do governo, e pôs mais de um barco no encalço de Bassânio.

Apesar de insistir, Shylock jamais conseguiu provar o envolvimento de Antônio e muito menos de Bassânio na fuga de Lourenço e Jéssica, pois nem mesmo foi possível saber se os dois efetivamente embarcaram. Na mesma época e nas muitas semanas que se seguiram, ouviram-se muitos relatos garantindo que foram vistos trafegando em uma gôndola por vários canais de Veneza e até mesmo em outras tantas cidades, algumas bem distantes, o que levaria Shylock a despachar um de seus poucos amigos, Tubal, no encalço do casal.

"Oh, minha filha! Meus ducados! Fugir com um cristão! Meus ducados cristãos! Minha própria filha me roubou..."

Volta e meia muitos o viam repetindo aquelas acusações desesperadas pelas ruas de Veneza, completamente fora de si, grande amargura na voz embargada pela revolta. Tais protestos só não eram maiores do que o grande ódio que dedicava a Antônio, o que levou muitos de seus amigos e conhecidos a preocupar-se tanto com o rico comerciante quanto com a letra que assinara e que Shylock guardava a sete chaves em local desconhecido.

– Antônio tem que se cuidar, pois se perder o prazo do pagamento, nem sei o que poderá acontecer... – disse Salânio, preocupado.

– Ontem mesmo eu soube de um navio que naufragou no estreito entre a Inglaterra e a França...

– Deus do céu, não pode ser de Antônio! – exclamou um terceiro homem que os acompanhava.

– Faríamos bem se o alertássemos, não?

– Acha que devemos?

– Ele não sabe?

– Provavelmente o navio nem é dele.

– Mas deveríamos alertá-lo, ou não?

As preocupações aumentaram quando Bassânio partiu atrás do empreendimento, responsável inclusive pelo empréstimo cuja letra Antônio assinara com a promessa de quitá-la.

– Pelo menos Bassânio deveria saber a respeito do naufrágio.

Os amigos chegaram a conversar sobre o assunto, mas no fim deixaram-no partir sem nada dizer.

TOLO FRACASSO

Aragão. O príncipe de Aragão.

O arauto que o antecedeu o apresentou como a todos que se arrogam carregar em suas mãos o destino de homens e nações. Terras, cidades, vilas, aldeias. Suas mãos se apresentam ou são apresentadas quase sempre cheias do destino de milhares, até milhões. Seus exércitos se contam em muitos e muitos homens, cavalos e canhões, e marcham, de tempos em tempos, em todas as direções. Estandartes imponentes, bandeiras multicoloridas, tambores e trombetas espalham-se pela imensa confusão dos campos de batalha e ainda soam quando resta apenas o silêncio.

Aragão. Outro poderoso entre os muitos pretendentes que abandonaram seus reinos para conquistar o coração da bela donzela de Belmonte e, acima de tudo, vencer o enigma misterioso que atraíra incontáveis pretendentes e sobrevivera a todos sem exceção.

Pobre Aragão!

Teria o mesmo destino dos demais?

Iria submeter-se àquelas condições esdrúxulas?

Mais uma vez, a silenciosa e taciturna Nerissa ergueu-se, solene, e recitou o chamamento já então bem conhecido aos pretendentes que, testemunhas do estranho jogo, haviam abandonado tudo e, ao voltar para suas terras, contavam para cada um que cruzasse o seu caminho...

"Corre a cortina logo; bem depressa. Já prestou o juramento o nobre Príncipe de Aragão, que aí vem fazer a escolha..."

Mais uma vez os cofres foram trazidos e sobre eles, como outros tantos pretendentes, debruçou-se o príncipe, orgulhoso de seu poder, e se pôs a examinar com enorme atenção.

Advertido pelos erros dos outros, não teve pressa, e ignorou as pessoas que se reuniam à sua volta. Olhava, analisava, sem pressa alguma. Refletiu sobre as palavras que ocupavam as laterais dos três cofres.

Leu tudo e, no pouco que leu, resistiu à tentação de maldizer o artífice de tal estratagema, o pai da bela Pórcia. Seria perda de tempo, diagnosticou com frieza. O enigma estava proposto e de nada adiantaria perder-se em xingamentos ou outras tolices. Melhor empregar seu tempo analisando os três misteriosos cofres. Debruçou-se sobre eles e sobre o exame acurado da estrutura metálica de cada um. Houvesse alguma pista, o menor vestígio que abrisse a porta do desvelamento do até então indecifrável enigma dos cofres, ele o encontraria, disse de si para si com extrema convicção. Preparara-se por anos, desde que mensageiros espanhóis recém-chegados de Veneza lhe trouxeram as primeiras notícias sobre os incontáveis fracassos dos pretendentes ao coração da bela Pórcia de Belmonte. Certamente, a pequena fortuna que ela levaria consigo como dote impressionaram o jovem príncipe tanto quanto a informação sobre a invulgar beleza da jovem. Todavia, sua extraordinária vaidade teve papel decisivo e foi preponderante na decisão de entregar a si mesmo e de vencer o desafio representado pelos três cofres.

Apesar da fama de extraordinário espadachim e guerreiro, conquistada nos muitos campos de batalha que frequentara desde os 16 anos, combatendo ao lado do pai e dos irmãos, fama ainda maior granjeara o elegante Príncipe de Aragão nas várias cortes da Europa como matemático, desde seus primeiros estudos sob a responsabilidade de um notável preceptor andaluz. Os números eram seu maior interesse e o estudo deles, o modo como interferiam na vida de cada ser humano, verdadeira e invencível obsessão. Não estivesse ele em uma das muitas campanhas militares em que a família rotineiramente se envolvia, e qualquer visitante o encontraria na grande torre que fora erguida no imponente castelo da família e na qual ele passava até semanas inteiras em estudos intermináveis. Por isso, o inteligentíssimo Príncipe de Aragão chegou a Belmonte com imenso e barulhento séquito, assegurando para si grande plateia para o momento em que vencesse o grande zelo que levara o pai de Pórcia a inventar tal jogo e certificar-se de que provavelmente nenhum de seus pretendentes fosse capaz de substituí-lo no coração da filha, pois não tinha a menor dúvida de que a ideia que norteara a origem dos três cofres fora essa e nenhuma outra. Sua certeza de que seria bem-sucedido era de tal monta que, assim que pôs os pés nas imediações de Belmonte, enviou emissários para alertar a todos pelo caminho que se encaminhava para a casa de Pórcia com o firme propósito e a inabalável certeza de que reunia todas as condições para resgatá-la da empedernida solteirice a que o pai ameaçava confiná-la com os três cofres. Nesse aspecto, sua empáfia só encontrava rival no elegante distanciamento da bela jovem, que o recebeu alguns dias mais tarde às portas do castelo em Belmonte.

– Nobre príncipe, os cofres aqui se acham. Se o que me contiver for o escolhido, no mesmo instante nosso casamento será realizado. Por outro lado, se o senhor errar, deverá partir o mais depressa possível, sem pronunciar sequer uma palavra.

A solene advertência foi tudo o que disse antes de afastar-se e deixá-lo, e a seu séquito, sob a responsabilidade de Nerissa, a silenciosa dama de companhia que a acompanhava havia anos. Viram-se à distância depois daquele primeiro encontro e nem sequer olhares foram trocados que não fossem rápidos e casuais.

O pretendente sentiu-se ainda mais estimulado a vencer o desafio. Nos poucos olhares trocados percebeu com inquietante certeza de que Pórcia acreditava que ele falharia, como outros tantos pretendentes, e isso o deixou particularmente irritado. Odiava ser subestimado e, ainda mais, irritava-se quando menosprezado em sua inteligência.

Ao se postar diante dos cofres, mais do que apenas preparado para aquele desafio, ele se sentia estimulado pela descrença da bela prometida. Sem precipitação, seus olhos foram de um para outro. Escrutou com prudência. Sorriu das frases escritas em cada um dos cofres.

"Quem me escolher, ganha o que muitos querem", dizia o cofre de chumbo, e a ele atribuiu a escolha apressada do populacho, aqueles que pouco têm mas muito ainda ambicionam, presa fácil das aparências e dos sentimentos geralmente liderados pela ganância. O que muitos desejavam passava ao longe do que pretendia ou igualmente quereria, pois nunca, em tempo algum, ambicionara ser igual a todo mundo. Ao contrário, interessou-se pela singularidade comum aos melhores.

Ignorou o cofre de chumbo com desprezo e ainda esperou quase uma hora antes de debruçar-se sobre o cofre de prata. Dedicou-se a espreitar rostos e olhares à sua volta, perseguindo gestos ou mesmos palavras que entre os presentes, a começar por Pórcia e Nerissa, pudessem indicar-lhe o caminho correto a seguir entre os cofres de prata e ouro. Com a exceção daqueles que constituíam seu séquito, acreditava que, tanto as duas mulheres quanto a pequena criadagem que cuidavam da elegante porém pequena construção de Belmonte, já tivessem testemunhado inúmeras vezes aquele evento. Mesmo que nada dissessem ou comentassem sobre o assunto, um insignificante gesto ou movimento de mãos ou olhos poderiam encaminhá-lo à justeza de sua escolha.

Inútil. Tempo perdido. Embora fosse um observador dos mais argutos, nada colheu de nenhum dos presentes. Nem palavras e menos ainda gestos e olhares, pouquíssimos. Tanto as duas mulheres quanto os empregados mais se assemelhavam a sólidas estátuas antes, durante e depois de cada uma de suas atentas observações. A imobilidade era tamanha que em mais de uma ocasião ele chegou a acreditar que aquela gente também desconhecia o conteúdo dos cofres.

Seria possível?

Considerou absurdo, mas, de todo modo, aquela dúvida alfinetou-lhe as convicções. Quanto mais avançava o tempo, mais ele se sentia titubeante.

Dois cofres, um acerto.

"Quem me escolher, ganha o que bem merece."

A opção de prata inquietou-o, e não apenas pelo maior valor do metal em que fora fundida, mas também pelo fato de que, depois dela, só restaria o cofre de ouro, e naquele momento ele não sabia bem se a escolha acertada estava ali dentro.

Refletiu sobre o que leu por muito tempo. Mediu e pesou cada palavra. Analisou a estrutura de prata na crença de que eventualmente algum detalhe em sua construção pudesse esconder ou guardar uma solução ou uma falha causada pelo esforço em esconder tal solução. Não sabia bem o que pensar ou dizer.

Concordava integralmente com a frase.

Quem se aventuraria em busca de fortuna e de honrarias, se não fosse marcado pelo mérito?

Cogitou solicitar a chave do referido cofre e abri-lo, na crença de que aquela seria efetivamente a escolha acertada. Olhou em volta e o silêncio mais uma vez golpeou-o mortalmente em sua convicção. Hesitou e depois de uns poucos minutos, apesar de não deixar o cofre de prata, voltou-se para o cofre de ouro. Chegou a tocá-lo, os dedos deslizando pelas letras gravadas em um dos lados. Seus olhos cruzaram com os de Pórcia e algo o inquietou neles.

O quê?

Não saberia dizer. Um laivo cintilante de apreensão no olhar?

Os finos lábios avermelhados repuxados para o lado num quase imperceptível risinho de deboche?

Menosprezo no rosto branco e marmóreo, até então impenetrável e aparentemente sem expressar sentimentos?

A rápida troca de olhares entre Pórcia e Nerissa?

– Vou ganhar o que é meu – gritou, estendendo a mão espalmada para Pórcia com um largo sorriso. – Traga-me a chave, pois acredito que encontrei a minha sorte.

– A demora foi de fato bastante longa – admitiu Pórcia enquanto lhe entregava uma pequena chave igualmente prateada e recuava exatamente dois passos, apontando para o cofre. – Espero que encontre o que procura.

O jovem príncipe introduziu a chave na fechadura e a girou com entusiasmo um tanto exagerado.

– Consegui... – foi tudo que conseguiu dizer antes de calar-se, estupefato, ao se deparar com a figura de um boneco representando um bobo da corte, os olhinhos piscantes e um dos braços estendidos em sua direção, em cuja mão se via um pedaço de papel repetidamente dobrado.

– "Quem me escolher, ganha o que bem merece."

Ele repetiu a frase que se encontrava gravada no cofre de prata e, por fim, ao virar-se mais uma vez para Pórcia, indagou:

– Só mereço a cabeça de um idiota? Esse é todo o meu prêmio? Não me leva mais adiante o meu merecimento?

– Distância enorme existe entre errar e sentenciar, senhor.

– Devo ler?

– Se assim o desejar. Talvez possa encontrar a resposta que busca.

Fui sete vezes fundido
e sete vezes conferido
deve ser quem de intrometido
não quer ser chamado.
Bobos podemos encontrar
Que com a prata logo vai
Se encantar.
Mas e se a noiva tão procurada
na prata não for encontrada?
Não adiantou nada,
por conta da ambição,
continua largada,
abandonada.
Vai-te embora,
Bobo feito de hora em hora,
Sua situação só piora;

Antes que sua tolice mais cresça,
desapareça.
Aproveite a lição:
Mais tolo fica
aquele que nunca abdica
da própria pretensão.

O nobre e orgulhoso Príncipe de Aragão, como os muitos pretendentes que vieram antes dele, deixou a chave cair ao chão e no instante seguinte partiu à frente de seu numeroso séquito, carregando sobre os ombros o peso enorme de uma descomunal frustração.

Nerissa sorriu com desdém e, enquanto o via distanciar-se em grande silêncio, comentou:

– O velho ditado aqui tem cabimento...

Pórcia a encarou e sem compreender a que ela se referia, quis saber:

– O que quis dizer, minha amiga?

– Do céu vem a mortalha e o casamento, não é verdade?

– Pelo menos assim o foi para o nobre e pretensioso Aragão.

Gargalharam.

Foram interrompidas por um criado que buscava Pórcia com certa aflição.

– Aqui estou – informou ela. – O que deseja?

– Um jovem veneziano acabou de entrar e informa que seu senhor está para chegar.

– E de quem se trata? – quis saber Nerissa.

– Ele não quis dizer, mas acrescentou que a comitiva traz ricos presentes e outras tantas mensagens de amor e respeito.

Pórcia virou-se para Nerissa, que sorriu, divertida, e indagou:

– Outro pretendente?

A que Pórcia, com um sorriso ainda mais largo, respondeu:

– Certamente!

– Se pelo menos fosse Bassânio... – brincou Nerissa.

– Nem me lembre...

PREOCUPAÇÕES

As más notícias têm asas e velozmente se espalham por todos os cantos, não é o que se diz?

Nenhuma ciência rege tal afirmação, nascida do senso comum e do reconhecimento de que a maledicência humana se farta da desgraça alheia e se compraz na maioria das vezes em espalhá-la sem nenhum escrúpulo. Assim foi, assim é e, como muitos acreditam, assim será ainda por muito tempo. Naquela manhã, quando se encontraram em uma das mais movimentadas ruas de Veneza, Salânio e Salarino tinham consciência da verdade inquestionável dessas palavras.

– Não se fala em outra coisa no Rialto – garantiu Salarino.

– Então quer dizer que é verdade? – indagou Salânio, apreensivo, os dois amontoando-se à entrada de um estreito beco, parte de um emaranhado ainda maior e labiríntico que levava às docas movimentadas da cidade.

– É o que dizem...

– Você sabe qual barco naufragou?

– O que sei com certeza é que não há mais dúvida de que o barco é realmente de Antônio e naufragou em uma região do canal inglês conhecida como Goodwins, baixio perigoso onde muitos outros barcos já naufragaram.

– Carga muito preciosa?
– Preciosíssima. A perda foi grande, acredite.
– Pobre Antônio!
– Gostaria que todas as suas perdas se restringissem apenas e tão somente a este barco.
– Que Deus o ouça...
– Oremos bem depressa então, pois o Diabo se aproxima na figura de um judeu que muito bem conhecemos – os dois amigos se calaram e acompanharam a aproximação de Shylock, que naquele instante cruzava a rua em largas passadas. No momento em que seus olhos se encontraram, Salânio acenou amistosamente para o prestamista e perguntou: – E então, Shylock, como andam as coisas entre os mercadores?
Shylock fez um muxoxo de contrariedade e, sem parar, resmungou:
– Como se vocês não soubessem...
Salânio e Salarino se entreolharam, fingindo surpresa, Salânio indagando:
– Como assim?
– O quê? Vai me dizer que ainda não sabem nada sobre a fuga de minha filha?
– Muito pouco – respondeu Salânio.
– De minha parte, conheço apenas o alfaiate que aprontou as asas com que ela fugiu.
Shylock, ainda andando, fulminou a ambos com um olhar ainda mais irritadiço.
– Engraçadinhos! – rosnou. – Que ela e quem a ajudou queimem no fogo do inferno!
– O que é isso, Shylock?
– Minha carne, vocês acreditam? Meu próprio sangue voltar-se contra mim dessa maneira tão vil!
– Perde seu tempo com tais xingamentos e blasfêmias, Shylock. Ocupe-se de outras coisas e fará melhor para si mesmo e, quem sabe, até para o resto do mundo.

– Ouviste falar que Antônio sofreu alguma perda no mar nos últimos tempos?

– Eis aí outro mau parceiro de negócios. Quer saber? Nada tenho a ver com os maus negócios e azares dele. Ele que cuide bem daquela letra. Tinha o costume de me chamar de usurário e terá a oportunidade de descobrir até que ponto dizia a verdade. Digo e repito: ele que tome cuidado com aquela letra! Sempre emprestou dinheiro com toda aquela cortesia e generosidade cristã e agora... agora... Ele que tome cuidado com aquela letra!

Salarino e Salânio se entreolharam, a preocupação nos olhos, até que o primeiro comentou:

– Deixe de brincadeiras, Shylock.

Sem parar e com passadas cada vez mais apressadas e largas, Shylock resmungou:

– Nunca fui homem de brincadeiras, senhor Salarino!

– Tenho a mais absoluta certeza de que, se Antônio não lhe pagar a tal letra no prazo, o senhor não haverá de tirar-lhe a carne.

– Eu não teria tanta certeza...

– Raciocina, homem: de que lhe serviria ela?

Shylock parou abruptamente e os deteve abrindo os braços. Virando-se para ambos, dardejou profundo olhar de raiva e contrariedade na direção de um e de outro antes de responder:

– Isca de peixe.

Os dois homens se entreolharam e perguntaram praticamente ao mesmo tempo:

– Como?

– É, isca de peixe. E se não servir para alimentar coisa alguma, servirá para alimentar minha vingança. Não é pouca coisa, concordam?

– De que o senhor está falando? – perguntou Salânio.

– Todos esses anos, ele me humilhou, impediu-me de ganhar um milhão ou talvez bem mais, nunca parei para calcular mas o prejuízo é grande e reconhecido até por ele mesmo, pois em mais de uma ocasião riu tanto de meus prejuízos quanto zombou e amesquinhou meus lucros, quando não atrapalhou descaradamente meus negócios. Nada pior, no entanto, do que a razão pela qual se dedicou a me destruir de maneira tão obstinada: simplesmente por eu ser judeu.

– Shylock...

– Bem sei o que os senhores, bem como outros tantos nesta cidade, pensam e fazem algo parecido. Aos seus olhos somos a escória do mundo e seus religiosos nos culpam pela morte do fundador de sua religião.

– Não negamos isso...

– Como poderiam? É verdade.

– Se assim é, por que toda essa raiva de Antônio?

– Porque ele é mais rico e poderoso, portanto, tem mais poder e dinheiro para nos perseguir mais ferozmente e nos maltratar com mais frequência. E por que isso? Judeus não têm olhos? Não têm mãos, órgãos, sentidos, inclinações, paixões, em tudo semelhante a de sua gente? Não bebemos e comemos as mesmas coisas? Não estamos sujeitos às mesmas doenças e às mesmas curas através dos mesmos remédios? Caso nos espetem ou golpeiem, não nos feriremos do mesmo jeito e verteremos sangue em igual quantidade?

– De onde saiu tanta maldade, Shylock?

– Nós a aprendemos com sua gente, meu rapaz. Usarei Antônio para pôr em prática a maldade que aprendi com ele. Quem sabe ele até se alegre ao perceber que sairei melhor que a encomenda em meu aprendizado.

Um pesado silêncio abateu-se sobre os três por uns instantes e só se viu quebrado pela repentina aparição de um criado que, virando-se para Salânio e Salarino, informou:

– Meus senhores, Antônio, meu amo, se encontra em casa e deseja falar com os dois.

Os dois amigos nem se despediram de Shylock. Afastaram-se apressados, quase se chocando com Tubal, que naquele instante achegou-se de Shylock.

– Então, Tubal? – indagou o prestamista, ansioso. – Novidades de Gênova? Encontrou minha filha?

– Estive em inúmeros lugares onde ela poderia estar, mas concretamente em nenhum deles eu a encontrei. Tampouco pude vê-la com quem quer que fosse.

– Infelizmente, é assim mesmo que as coisas acontecem. Não bastasse a filha que perdi, foi-se com ela um diamante que me custou duzentos ducados em Frankfurt e outras tantas joias que nem sequer consigo calcular honestamente o exato valor. Quisera ver minha filha morta diante de mim, com os ducados enfiados nas orelhas. Antes vê-la em um caixão fúnebre do que... do que... Prejuízo em cima de prejuízo. Foge o ladrão com tanto e gastamos mais ainda para apanhá-lo. E pior, nada de satisfação e, muito menos, vingança.

– O senhor não é o único a padecer de grandes desgraças financeiras, meu amigo. Antônio, por exemplo...

Os olhos de Shylock praticamente saltaram das órbitas e ele agarrou-se com grande interesse a Tubal à simples menção do nome do grande inimigo.

– O que houve? O que houve? – repetiu, interessado.

Tubal espantou-se:

– Não acredito! Não soube ainda?

– Saber o quê?

– Não se fala em outra coisa em Gênova...

– Coisa? Que outra coisa? Alguma desgraça?

– Ele acabou de perder um galeão que vinha de Trípoli, não soube?

– Graças a Deus! Graças a Deus! – exultou Shylock, brandindo as mãos para os céus, praticamente fora de si.

– A notícia ainda é recente em Gênova – informou Tubal. – Eu a ouvi de alguns dos marinheiros que escaparam do naufrágio. Aliás, no mesmo lugar em que sua filha havia gastado cerca de oitenta ducados em uma só noite.

– Você acaba de me desferir violenta punhalada, Tubal – protestou Shylock. – Oitenta ducados em uma só noite!

– Talvez amenize a dor de tal perda saber que vários credores de Antônio em Gênova vieram comigo, certamente para lhe cobrar algumas letras.

– Bem, isso me faz bem mais alegre.
– Mas é certo que Antônio está arruinado?
– Mais do que certo.
– Então, Tubal, vá logo procurar um oficial de justiça.
– O que deseja com ele, meu amigo?
– Combinar a data de cobrança da letra que Antônio firmou comigo. Mais duas semanas e ficarei com o coração dele no caso de ele não me pagar o que deve.
– Não é prematuro?
– Não, decerto que não. Antônio está arruinado, não tenho a menor dúvida disso.
– Seja prudente, Shylock...
– Vá procurar em nossa sinagoga, Tubal. Vamos, vá logo!

O FIM DOS TRÊS COFRES

Muito ainda se disse e outro tanto certamente se dirá sobre os estranhos cofres de Belmonte. Acreditem, mais ainda será dito acerca da misteriosa Pórcia, particularmente os segredos por trás dos misteriosos cofres. Com o passar do tempo e a notícia de que ela, a inigualável e voluntariosa senhora cobiçada por dezenas dentre os mais nobres, inteligentes e poderosos cavalheiros que poderiam ter qualquer mulher naqueles tempos, finalmente encontrara o companheiro ideal e ao lado dele era indescritivelmente feliz, outras histórias começaram a circular. A mais interessante, sem sombra de dúvida, alegava que a história dos tais cofres nada mais fora de que um engodo, tão astucioso quanto o do tapete de Penélope, fiel esposa de Ulisses, que o tecia durante o dia e o desfazia ao longo da noite, a fim de protelar a escolha de novo marido entre os muitos pretendentes que infestavam seu palácio. Como ela, que esperava pela volta do homem que realmente amava, Pórcia se agarrava àquele jogo tolo de paixão e cobiça não para procurar e muito menos escolher um pretendente, mas para afugentar a todos que não conseguiam o grande segredo que, a bem da verdade, nunca existiu. Nem sequer eram obra de um pai zeloso e preocupado em conquistar para a filha um pretendente adequado.

Já se disse que se a lenda for mais interessante do que a realidade, que seja a lenda a verdade, e a verdade nada mais do que uma possibilidade interessante. Por todos aqueles anos, logo que o pai morreu e Pórcia se viu confrontada com a inevitabilidade de ser visitada por toda sorte de pretendentes, gente interessada em sua fortuna mas, muito mais corretamente, em sua extraordinária beleza. E, coincidência ou não, passou-se a exigir que todos se submetessem àquele jogo engendrado por um pai preocupado com o futuro da filha.

A dificuldade crescente em decifrá-lo e suas regras inacreditavelmente rigorosas certamente afastariam os pretendentes, pensava, mas não foi o que se deu, pois o número só fazia aumentar e, depois de certo tempo, poucos não compreendiam ou sabiam explicar muito bem como ele funcionava. A verdade era que, ao fim e ao cabo, cada pretendente era recusado, nem tanto por não encontrar a resposta correta, mas pura e simplesmente por ela realmente não existir; ou melhor, só seria reconhecida por aquele que a conhecera antes. Ele e apenas ele seria capaz de escolher o cofre correto, aquele que, por tudo que Pórcia se lembrava e o pai igualmente, representava as qualidades que ela encontrara no jovem veneziano. Para Pórcia não interessava nenhum deles, mas única e tão somente Bassânio, aquele pelo qual se apaixonara muitos anos antes. Esperaria até o fim de sua vida, se preciso fosse, até que ele aparecesse finalmente em Belmonte para lhe dar seu coração. E assim aconteceu naquele final de tarde, logo depois que o Príncipe de Aragão partiu. Finalmente Bassânio voltou a Belmonte.

Ela o reconheceu de imediato. Não poderia ser diferente, pois na verdade jamais o esquecera.

Como poderia, se ele era o único homem que amara na vida?

Em princípio, titubeou e por certo tempo imaginou que Bassânio estivesse em Belmonte apenas como outro pretendente, igual a outros tantos, interessado em sua beleza e, muito provavelmente, em sua ponderável fortuna. Cercou-se de muitos cuidados, temendo a inevitável decepção. Nesses primeiros dias, ainda alimentou a história dos três cofres e seu invencível enigma.

– Peço-vos esperar mais alguns dias antes de arriscar tudo, pois se erro cometer na escolha, terá que partir imediatamente – disse pouco depois, aflita. – Rogo que espere mais um pouco, talvez um mês.

– Tudo isso? – espantou-se Bassânio, por trás de um largo sorriso de compreensão.

Pórcia devolveu-lhe o sorriso, baixando os olhos, encabulada.

– Não sei o que é, mas algo em mim diz que não devo perder o senhor. Mesmo receando ser incompreendida, gostaria que ficasse mais algum tempo antes de arriscar-se a... a...

– Bobagem! Também tenho minhas impressões e algo parece me dizer que não errarei.

– Folgo em saber, mas em meu coração não carrego tão sólida crença e queria estender o máximo possível o tempo que teremos juntos, protelando a escolha.

– Pois desejo exatamente o contrário. A mim me angustia tamanha espera. Quero me lançar de imediato a essa prova, pois a espera me mortifica demais. Me confunde.

– Como assim?

– Em momentos como este, sinto-me amado, desejado, completamente querido...

– Em outros não?

– Em outros encontro uma certa desconfiança que não consigo entender...

– De minha parte?

– Infelizmente.

– Não sei por quê. Acaso há alguma traição misturada ao amor de que me fala tanto? Algo que me escondes e teme que eu possa descobrir? Algo capaz de impedi-lo de escolher o cofre certo, talvez?

– Nenhuma, se tirarmos a medonha traição da desconfiança que me faz duvidar, e até mesmo de acreditar, que sou amado sinceramente pela senhora.

– Não estaria dizendo agora o que qualquer um diria submetido a tortura?

– Deixe que eu tente minha sorte nos cofres e saberá de uma vez se minto ou se sou sincero em meu amor.

– Pois que assim seja! Em um deles eu estou, e se verdadeiramente me ama, facilmente me encontrará. – Virando-se para sua dama de companhia,

Pórcia ordenou: – Faça todos os preparativos, Nerissa! Que doce melodia acalente suas dúvidas durante a escolha, senhor Bassânio. Traga os cofres que mais uma vez se farão guia do coração do pretendente e senhores de meu destino! Que a mais bela canção embale todas as boas intenções do que se diz apaixonado e possa consolá-lo se seu amor não for tão grande assim.

Tudo se sucedeu bem rapidamente: em muito pouco tempo Bassânio se encontrava diante dos três cofres e o dilema de sua escolha. Os músicos tocavam uma singela canção que, no entanto, seria incapaz de aplacar a ansiedade do jovem casal.

> *Existirá neste mundo alguém*
> *capaz de dizer de onde o amor vem?*
> *No peito se entretém?*
> *Respondei de uma vez,*
> *Respondei de uma vez,*
> *Se nos olhos se fez,*
> *Se se cria,*
> *Ora realidade, ora fantasia,*
> *Até o último de seus dias.*
> *Fechemos a canção*
> *com alegria então,*
> *com dim dom dão, dim dom dão.*

– Dim dom dão! – repetiu Graciano e o séquito que acompanhava Bassânio e os poucos servos de Pórcia.

Repentinamente, o jovem militar veneziano levantou a mão direita e todos silenciaram.

– Tolos são aqueles que se deixam levar pelas aparências – afirmou. – Somos invariavelmente enganados pela casca e menosprezamos o conteúdo. A aparência é malévola e fútil, mas se presta a iludir àqueles que com ela se identificam. Todos os que aqui estiveram antes de mim foram enganados pela vaidade, a cupidez, a ambição, a ganância e outros tantos sentimentos ruins que carregavam dentro de si, daí suas escolhas erradas. Nada quero do ouro que reluz e, portanto, facilmente seduz.

Desprezo o brilho argentino da prata. Minha escolha recairá sobre o modesto chumbo, que a maioria afasta por sua aparência simplória e completamente destituída de tolos sentidos de grandeza.

– Assim pensei e acreditei que pensaria o homem que acreditei que comigo casaria – disse Pórcia, entregando-lhe a chave do cofre escolhido. – A leviandade não teria pouso em seu coração nem sua alegria seria fútil e vazia, mas antes absolutamente consequente.

Bassânio o abriu e imediatamente encontrou o retrato de Pórcia. Acompanhava-o um pedaço de papel cuidadosamente dobrado onde finalmente leu:

> *Já que não coube a seus olhos a escolha,*
> *Que seu bom senso a acolha,*
> *Legítima conquista do coração*
> *Que por paixão,*
> *Aproveitará a ocasião*
> *E à bela dama dará*
> *E também receberá*
> *Um longo beijo.*

Nada mais foi dito depois disso e apenas um demorado beijo uniu o casal de apaixonados.

O que poderia ser dito?

E por quê?

Nenhuma necessidade, maior felicidade existia depois que seus lábios se encontraram e seus corpos se estreitaram em prolongado abraço de imensa e demorada paixão.

– Senhor Bassânio... – ofegante e trêmula, Pórcia encarou-o, ainda em seus braços e submissa a seus carinhos, enquanto dizia: – Até há alguns momentos, era eu a senhora desta bela casa, dona dos meus criados, soberana de mim mesma. No entanto, desde este momento a casa, a criadagem, minha própria pessoa, pertencem ao senhor. Tudo lhe dou com este anel. Se por acaso o perder ou dele fizer presente para alguém, saberei que nosso amor se acabou.

– Desnecessárias tais palavras, minha senhora, pois lhe entrego hoje meu coração, para não mais se separar dele – replicou Bassânio, enfático e tão apaixonado quanto ela.

Nerissa aproximou-se, sorridente e emocionada, olhos lacrimejantes, e balbuciou:

– Felicidade para os nossos amos!

No princípio, as palavras se perdiam na grande emoção, quase sem significado e alheias à compreensão do casal. Mais adiante, agregaram-se umas às outras, com esforço, adquirindo entusiasmo e volume que contaminaram a todos os presentes no amplo salão.

Graciano aproximou-se do casal e, depois de gritar com entusiasmo mais de três vezes, gesticulou para que todos se calassem. Virando-se para Bassânio, disse:

– Ao senhor Bassânio e à minha mui gentil senhora, só lhes posso desejar toda a felicidade do mundo, ao mesmo tempo em que humildemente gostaria de lhes pedir que, por ocasião de vossas núpcias, concordassem que eu me casasse no mesmo dia.

– Pedido feito, pedido aceito, meu fiel Graciano – respondeu Bassânio. – Mas não deveria antes encontrar uma esposa?

– Agradecido, meu senhor – sorridente, Graciano estendeu uma das mãos para Nerissa e, ao encará-la mais uma vez, afirmou: – Pois sem que o percebesse, a senhora me deu uma...

Bassânio e Pórcia, ainda abraçados, entreolharam-se, surpresos e sorridentes. Pórcia virou-se para a dama de companhia e indagou:

– Como foi isso, Nerissa?

Um curto sorriso acanhado emergiu dos lábios finos de Nerissa, que, envergonhada, baixou a cabeça e se calou. Coube a Graciano explicar:

– Estes meus olhos veem tão depressa quanto os seus, Bassânio. Você viu a senhora, enquanto eu me entretinha com a serva. Amamos, os dois, do mesmo modo, depressa, sem maiores delongas. E como o seu destino, o meu também estava ligado aos cofres, e os fatos só fazem provar a veracidade do que digo. Tudo se deu bem rapidamente: a corte, a ansiedade, as dúvidas, a incerteza, até uma ou outra dor do coração. Até mesmo as juras de amor foram sussurradas aos ouvidos de minha amada que a tudo ouviu e, apaixonada, rapidamente aquiesceu.

Pórcia surpreendeu-se.
- É verdade, Nerissa?
- Se não vos agradar, minha senhora...
- De maneira alguma! - atalhou Pórcia.
Bassânio desviou um olhar matreiro para Graciano e insistiu:
- E você, meu amigo?
- O que quer saber de mim?
- É sincero em seus propósitos?
- Inteiramente.
- Pois então ficaremos honrados com suas núpcias.
A felicidade fez-se intensa e espalhou-se entre todos que se agitavam em torno dos dois casais. Tudo se interrompeu quando o sorriso desapareceu do rosto de Graciano e, espantado, ele apontou para larga porta do salão, indagando:
- Quem vem vindo aí?
Lourenço abria caminho entre a criadagem e o séquito de Bassânio, Jéssica e Salânio acompanhando-o. Expressões sombrias, preocupadas, deixaram a todos assustados.
- É Lourenço e sua bela infiel - observou Bassânio.
- A cara de Salânio não me agrada - admitiu Graciano. - O que terá acontecido?
Lourenço adiantou-se a Jéssica e Salânio e mal cumprimentou Bassânio. Adiantou-se às perguntas com palavras nervosas:
- Eu gostaria de não estar aqui neste momento, e, pior ainda, como portador de tão más notícias.
Bassânio alarmou-se:
- O que houve, Lourenço?
- Salânio insistiu para que eu o trouxesse até aqui.
- Razões tenho suficientes para minha insistência - defendeu-se Salânio, os olhos indo de um para o outro repetidamente, incapaz de controlar o próprio nervosismo.
- Desembucha logo, homem! - impacientou-se Bassânio. - O que se passa?
Salânio, mais do que depressa, entregou-lhe uma carta e informou:

– O senhor Antônio me pediu que lhe entregasse isso.
– Do que se trata? – insistiu Bassânio.
– Ele lhe conta tudo em sua carta.
– Antes de ler a carta, conte-me de uma vez, homem. Está me deixando nervoso! Meu tio está doente?
– Só se for do espírito.

Graciano, buscando tranquilizar Bassânio, colocou-se entre ambos e insistiu:

– Vamos, homem, diga logo! Que novidades traz de Veneza? Antônio celebra nosso sucesso?
– Preocupações bem mais graves o atormentam neste mesmo momento, meu amigo.

Um olhar silencioso e extremamente preocupado passeou pelos rostos anuviados e bem tensos. As indagações se multiplicavam de todos os lados, golpeando o infeliz que mal tinha tempo para respondê-las:

– Que aconteceu?
– O que poderia estar indo de mal a pior?

Finalmente, irritado, Bassânio desdobrou e leu o pedaço de papel onde as muitas palavras garatujadas com evidente pressa e apreensão o deixaram ainda mais preocupado e taciturno, uma palidez assustadora espalhando-se pelo rosto.

– Do que se trata? – quis saber Pórcia.
– As mais desagradáveis palavras que poderia ler em um dia tão feliz quanto o foi até agora o dia de hoje...– respondeu Bassânio.
– Como assim?
– Para vir a seu encontro, minha querida, vi-me obrigado a penhorar-me a um amigo muito querido e o penhorei justamente ao seu pior inimigo. Pois bem, essa carta é deste amigo e nela ele me conta que perdeu tudo o que tinha. Seus galeões e outros tantos barcos que navegavam para a Índia, Inglaterra, México e outros tantos lugares e transportavam cargas das mais vultosas, todos naufragaram em acidentes terríveis.
– Não lhe sobrou nenhum barco – disse Salânio, pesaroso. – E pelo que sabemos, Antônio simplesmente não tem com que pagar Shylock.

Este, por sua vez, não passa um só dia sem reclamar em termos cada vez mais ferozes o seu direito a solicitar a privação de liberdade de seu devedor, bem como o pagamento do que lhe é devido. Muita gente de poder e influência em Veneza, até mesmo o Doge, tentaram inutilmente persuadi-lo a desistir de buscar na justiça a reparação de seu prejuízo e de tentar receber a letra vencida e uma competente multa pelo atraso.

Jéssica adiantou-se e virando-se para Bassânio, os olhos vermelhos e bem inchados de tanto chorar, acrescentou:

– Quando eu ainda estava em casa, ouvi quando meu pai jurou diante de Chus e de Tubal, dois de seus poucos amigos, que de modo algum abriria mão da carne de Antônio nem que lhe oferecesse em troca disso vinte vezes o valor da letra vencida. Conheço meu pai, senhor, e sei da grande maldade que vai em seu coração, particularmente contra o senhor Antônio, e posso lhe garantir que se nada for feito, este pobre homem sofrerá imensamente.

Pórcia se mostrava surpresa e bem assustada quando se voltou para Bassânio e indagou:

– Seu amigo está mesmo correndo grande risco?

– Não apenas um amigo, Pórcia, mas o melhor dentre todos os homens que conheço. Antônio é o mais bondoso, o coração mais nobre e a alma vigilante sempre pronta a prestar todo tipo de auxílio, até o mais despropositado, àquela pessoa que dele se aproxime em aflição. Não conheço ninguém como ele, admito.

– Que quantia deve ele a este judeu?

– Três mil ducados, e o pior de tudo, por minha causa.

– Pague, meu querido. Pague o que ele quiser. O dobro, o triplo, o que ele quiser...

– Infelizmente não tenho tanto dinheiro, Pórcia...

– Pois lhe darei dinheiro suficiente para pagar vinte vezes pequenas dívidas como esta.

– Não posso permitir que...

– Calado, meu querido. Esqueça tudo o mais e parta imediatamente para salvar a vida de seu amigo.

TENSÃO E EXPECTATIVA

Mesmo entre os muitos que nem sequer conheciam Antônio nem mantinham com ele algum tipo de relacionamento, a cena soou infame. Os mais próximos protestaram em meio à grande revolta ao verem o bom e honesto Antônio avançar pelas ruas de Veneza sob a escolta de dois carcereiros. É evidente que a prisão de tão respeitada e querida figura por si só já revoltava, mas o que verdadeiramente enfurecia a boa parte da crescente multidão era o fato de Shylock marchar à frente do pequeno grupo, a própria imagem da arrogância, deliciando-se com a humilhação que infundia àquele que tanto odiava.

– Atenção, carcereiros! Não se descuidem! – gritava o prestamista de tempos em tempos. – Não descuidem deste que se apresenta como carneiro e que se gabava de emprestar dinheiro sem juros. Ele tem muitos amigos nesta cidade e a qualquer momento muitos podem ajudá-lo a fugir!

Apesar de visivelmente constrangido, Antônio esforçava-se por impor alguma dignidade a seus passos, marchando, obediente, entre os dois carcereiros. Não esboçava nenhum gesto de revolta ou protesto.

– Apenas uma palavra, meu bondoso Shylock – repetia de tempos em tempos, insistindo que ainda poderiam resolver aquela questão de maneira civilizada, longe dos tribunais e muito menos sem apelar pela execração pública.

Inútil. Shylock se comprazia imensamente em organizar tais situações, em que a humilhação de Antônio se fazia componente indispensável à sua satisfação.

– Quero saber apenas do pagamento de minha letra! – berrava Shylock, gesticulando furiosamente, esforçando-se em elevar ao máximo a voz em gritos selvagens que nada mais pretendiam do que atrair a atenção das multidões que se formavam para acompanhá-los em romaria, fosse para os tribunais, fosse para as muitas repartições de justiça de Veneza. Os pretextos eram muitas vezes insignificantes e por vezes passavam horas inteiras marchando de um lado para outro, sem propósito ou para a análise de questões as mais insignificantes possíveis. – Nada mais me interessa! O Doge me fará justiça!

– Por que resiste tanto a me ouvir, Shylock?

– Já lhe disse, a mim só interessa o pagamento. Não tenho o menor interesse no que porventura o senhor quer me dizer. Não espere a menor indulgência ou compreensão com o seu infortúnio. Chamou-me de cão e agora terá a oportunidade de descobrir quão profunda pode ser a minha mordida.

Por fim, provavelmente satisfeito, Shylock afastou-se e, à porta de um pequeno prédio, limitou-se a acompanhar a longa e vagarosa marcha de Antônio e dos carcereiros.

Acompanhando-os a certa distância, Salarino observou:

– É o cão mais perverso que entre os homens anda, não é mesmo, meu amigo?

Antônio concordou com um aceno de cabeça e implorou:

– Deixe que se vá em paz. Não irei importuná-lo com apelos que, sei perfeitamente, são inúteis. Está mais do que óbvio que ele me quer ver morto. É a vingança óbvia por tê-lo privado de muitas e muitas extorsões. O prejuízo foi tão grande quanto a raiva que anima suas maldades, não tenho dúvida.

– Ele se ilude totalmente. Estou mais do que certo que o Doge porá termo a essa grande insensatez – disse Salarino.

– Gostaria de estar tão confiante quanto você, meu amigo, mas não acredito que o Doge tenha poder para deter a marcha da justiça, a essa altura. Além de outros motivos, os grandes negócios de Veneza estão absurdamente ligados a estrangeiros como aquele prestamista. Se, de um momento para outro, eles vissem ou suspeitassem que existem duas leis diferentes na República, grandes prejuízos acarretariam para os nossos cofres. O lucro e o comércio da cidade se baseiam nisso e apenas nisso. Uma libra de carne é valor irrisório para os problemas que evitaremos se satisfizermos a Shylock.

– Não desanime, Antônio... – gritou alguém no meio da multidão que o acompanhava.

– Estou tentando, mas confesso que tudo ficaria muito mais fácil se Deus fizesse com que Bassânio viesse ver-me no instante exato de pagar a dívida.

JULGAMENTO

Desde os primeiros tempos de existência daquela que seria conhecida como a Sereníssima República, mas a partir da sua expansão e da consolidação de seu poderio econômico e político, Veneza não apenas se preocupou em definir as regras para o estabelecimento de uma forma de governo republicano mas, igualmente, capazes de controlar o poder de seu principal dirigente, o Doge, termo vêneto originário do latim "dux", ou "chefe". As famílias mais proeminentes da cidade, responsáveis pela consecução do projeto republicano e entre as quais era escolhido o principal líder da República, temiam as consequências do poder político ficar concentrado nas mãos de um único homem e volta e meia se debruçavam sobre a urgência e a necessidade de criar algum mecanismo de controle. A primeira iniciativa, no entanto, só ocorreria em meados do século XII, quando passou a ser obrigatório que o Doge assumisse o que ficou conhecido como "Promessa Ducal". Outras tantas imposições seriam agregadas a essa primeira, sempre para determinar regras a fim de que o governante não se tornasse um ditador ou partilhasse um poder sem controle tanto com parentes quanto com partidários. Conselhos de notáveis foram estruturados e reestruturados ao longo dos séculos sob a premissa de contemplar uma estrita fiscalização dos atos administrativos do governo republicano de Veneza, mas apesar disso, mesmo em seu auge, entre os séculos XIV e XV, o poder reunido nas mãos do Doge ainda era ponderável e a mais variada gama de assuntos e discussões ainda eram levados a seu conhecimento, mas, antes de mais nada, julgamento.

Muitas vezes, dada a influência e a relevância representadas pelo governante republicano, aliada ao próprio poder que representava, as decisões tomadas pelo Doge adquiriam dimensões tão grandiosas que em muito ultrapassavam a força das leis locais ou agravavam o potencial de seu estrito cumprimento. Por conta disso, logo que a notícia de que Shylock levaria à Justiça sua dificuldade em receber os três mil ducados – que emprestara a Bassânio e do qual Antônio se fizera fiador –, muitos não tiveram a menor dúvida de que a repercussão seria intensa. E até mesmo o despropósito associado ao empréstimo – o compromisso de Antônio de pagar uma multa pelo atraso no pagamento da letra com uma libra de sua própria carne –, não se faria tão absurdo como inicialmente aparentava. A respeitabilidade e o cumprimento de leis e compromissos, principalmente financeiros, sempre fora a pedra angular nas relações entre mercadores e a burguesia comercial veneziana. O fato de o devedor ser uma figura respeitável e de sólida reputação de honestidade, como era o caso de Antônio, servia apenas para aumentar a preocupação e o constrangimento de todos, mesmo do Doge, que naquela manhã, ao ver Antônio ser trazido à sua frente, não foi capaz de conter o espanto e comentou:

– Estou consternado por sua situação, Antônio. Foi trazido a este tribunal por um obstinado inimigo, cuja desumanidade o torna incapaz de comover-se de seu infortúnio. Tudo o que ele deseja é vingar-se.

– Estivesse ao meu alcance e o pouparia de tal constrangimento, Vossa Graça – replicou Antônio. – Aliás, queria lhe ser imensamente grato. Muitos amigos vieram me dizer que tens se esforçado para atenuar o curso e as consequências possíveis e até esperadas desta causa.

– Você não deveria vir aqui, Antônio, e sabe disso.

– O coração endurecido de Shylock pensa o contrário e tem fortes razões de que conseguirá consumar sua vingança. A bem da verdade, eu também tenho fundamentada certeza de que ela irá conseguir o que quer e não posso censurá-lo, mas apenas a mim mesmo e a minha leviandade e arrogância.

— Infelizmente... — Esquadrinhando o amplo salão onde ainda se espalhavam os senadores da República e uma pequena assistência, na qual Antônio reconheceu Bassânio, Graciano e Salarino, entre outros amigos e companheiros de negócios, o Doge, voz tonitruante e perceptivelmente contrariado, indagou: — Alguém introduza o querelante na sala.

A porta se abriu. Ao ver Shylock apressar-se em atender ao chamado, Salarino gritou:

— Ele já está entre nós, Vossa Graça!

O Doge gesticulou para que saíssem de seu caminho ao mesmo tempo em que dizia:

— Shylock, o mundo pensa, tanto quanto eu, que pretendeis insistir nessa inacreditável prova de crueldade somente até a última hora do processo...

O prestamista deteve-se diante dele e, como que surpreso, questionou:

— Como assim, Vossa Graça? Sinceramente, não compreendo.

— Muitos acreditam que na última hora mudarás inteiramente de humor e vos apresentarás mais indulgente e mesmo generoso para com aquele que vos deve.

— Realmente? De onde haveis tirado ideia tão descabida?

O próprio Doge espantou-se com o que ouvira:

— Não é verdade? Pretendeis levar adiante essa demanda descabida e exigir o pagamento de uma multa?

— E por que razão abdicaria dela? Estou em meu direito.

— Desejais realmente retirar uma libra de carne do corpo deste pobre mercador?

— Não sei de onde todos os presentes, inclusive Vossa Graça, tiraram a estranha ideia de que eu abriria mão de meus direitos.

— Não seria o mais sensato a fazer?

— Sensato para quem, Vossa Graça? Não para mim, imagino. O que eu ganharia com tal gesto?

O próprio Doge, confrontado com tão inesperada indagação, moveu-se com certo embaraço e comentou:

— Decerto estais a par das grandes perdas que atingiram vosso devedor e imaginei que serias compassivo e indulgente diante de tais desventuras. Quem sabe? Talvez até o eximisse de metade dos juros da dívida e nem cogitasse cobrar multa tão absurda.

— É isso?

— Essa seria a reação esperada de uma alma compassiva e generosa. Isso é o que esperaríamos de vós.

— Reiteradas vezes já apresentei a Vossa Graça o que pretendo e desde então nada mudou – disse Shylock. – Pretendo cobrar a devida multa e, se não me for negado direito legítimo. Certamente, muitos de vós, ao ouvir tal afirmação, se espantarão com o absurdo de minha obstinação e seguramente me tomarão por louco. Trocar três mil ducados pela carniça de uma libra de carne humana que não me traria proveito algum? Apenas um louco faria semelhante escolha, não é o que pensam? Que devo estar louco?

— Deveis ter vossos motivos.

— Ah, e certamente os tenho, Vossa Graça.

— Algo justo.

— Aos meus olhos ou aos vossos?

— Não entendo.

— Acredito que eu jamais o convenceria inteiramente, não importa o que vos dissesse ou alegasse. Milhares de exemplos poderia apresentar e assim mesmo nenhum deles abalaria a crença de cada um dos presentes na justeza de suas ponderações. Portanto, disso vos pouparei. Disso igualmente me pouparei. Bastai que saibam o grande ódio e a forte repugnância que Antônio desperta em minha alma e em meu coração. Não podeis compreendê-lo inteiramente, mas podeis pelo menos entrever sua relevância a partir da vultosa quantia de que estou abrindo mão para receber multa assombrosamente onerosa.

Irritado, Bassânio abandonou o pequeno grupo de espectadores e, revoltado, grunhiu:

— Maldito homem de pedra! Essas palavras respondem e justificam tão grande crueldade?

O rosto de Shylock cobriu-se com uma suarenta máscara de deboche e pouco-caso quando ele voltou-se para o jovem militar e zombou:

– Lamento dizer, meu amigo, mas ninguém me falou que eu deveria ser amável no que quer que correspondesse a um de vós.

Nesse momento, o Doge interferiu:

– E realmente não tem...

Shylock agradeceu com uma mesura reverenciosa.

– Dei-vos a resposta que desejava? – perguntou.

O Doge fez um muxoxo de contrariedade e respondeu:

– Deu-me a que eu esperava.

Um rumor de crescente indignação avançou pelos ouvintes, como preocupante maré de raiva e contrariedade. Aos primeiros xingamentos seguiram-se as primeiras ameaças mais enfurecidas, alguns aproximando-se perigosamente e obrigando alguns senadores a apelar para que novos soldados fossem convocados para o interior do palácio ducal. Os ânimos se faziam cada vez mais exaltados e o confronto se mostrava praticamente inevitável. Foi nesse momento que Antônio levantou as mãos e se pôs a agitá-las, solicitação muda porém insistente para que todos se calassem.

– Por favor, meus amigos, eu vos peço para que atentai às palavras que vos diz o judeu – apelou, à medida que o silêncio estabelecia uma calma ainda tensa e das mais precárias no salão. – Tanto faz marchar em dia de forte tempestade para a praia a fim de pedir ao mar que estabeleça condições para que se acalme, quanto apelar ao lobo que poupe os poucos cordeiros que tem e com os quais aplacará a fome de sua família. Seria tolice. Seu coração é duro e a ele só interessa saciar seus instintos e não compreender os alheios. Deixai de lado toda esperança de tocar o coração do judeu. Nada mais ofereci nem vos preocupais em entabular novas negociações ou novas propostas, pois como vede, de nada adiantaria. Apressai meu destino, eu vos peço. Julgai a mim segundo as leis da terra, deixando a ele a consumação de seu desejo de vingança.

Adiantando-se aos outros, Bassânio virou-se para Shylock e ofereceu:

– Eu vos ofereço seis e não mais três mil ducados e pagarei agora mesmo!

O prestamista nem sequer se dignou a encará-lo. Correndo os olhos pelos rostos aflitos à sua volta, desdenhou:

– Guarde sua proposta para quem nela se interesse, Bassânio. De minha parte, insisto e faço questão de exigir o cumprimento do estabelecido por minha letra.

Impaciente, o Doge despojou-se da custosa imparcialidade a que seu cargo o confinava e a que ele se restringia com cada vez maior dificuldade, e rugiu:

– Se não consegues mostrar-se piedoso, como podeis esperar encontrar piedade da parte de qualquer um de nós?

Shylock o encarou e replicou:

– Nenhuma, certamente. Aliás, que castigo devo temer, se mal algum nunca pensei fazer? Não há maldade alguma no que peço. Se acaso eu libertasse vossos escravos pensando apenas em quão injusta é a escravidão, ou que aos rebanhos e criações que tens soltasse nos campos da necessidade alheia para, por exemplo, saciar a fome de muitos, o que dirias a mim? Certamente se indignaria e de mim exigiria justa reparação, estou certo? Certamente estaríeis em seu direito, pois as leis asseguram a propriedade tanto dos escravos quanto dos animais, e inquestionável reparação por sua perda. *Dura lex sed lex*[1], não é verdade? Cada um de vós estaria em seu direito. De mesmo modo, eu vos digo, essa libra de carne que ora exijo foi por mim comprada por preço muito alto e a mim pertence, portanto, e está no meu direito exigi-la. Se tal direito me for negado, que valor terão as leis de Veneza aos olhos dos próprios venezianos? E, acima de tudo, aos olhos de todos os que negociam com a República? Não seria tal esbulho sinal de fraqueza ou pelo menos de parcialidade dos decretos de Veneza? Por essas e por outras, insistirei que meu pleito seja julgado e que a mim seja dado o que mereço por direito.

– Suas palavras estão carregadas de razão, prestamista, mas eu tenho o direito de dissolver a corte se Belário, um jurista dos mais respeitados que mandei vir para estudar o caso, não chegar no dia de hoje – informou o Doge, retornando à forte circunspecção que lhe atribuía o cargo.

Salarino achegou-se aos três interlocutores e, virando-se para o Doge, informou:

---

1 Expressão em latim que significa, em português, "A lei é dura, mas é lei". (N.R.)

— Um mensageiro acabou de chegar de Pádua, Vossa Graça, com uma carta de Belário.

— Pois tragam-no agora mesmo a minha presença!

Alguns minutos se passaram em tensa expectativa. Salarino saiu apressado do amplo salão ducal, apenas para retornar ainda mais rapidamente. Os surpreendentes acontecimentos que se deram após a entrada de um escrivão mirrado e de traços finos, desconcertantemente femininos, aos quais nem o bigode e a barba rala conseguiam atenuar, ainda hoje são motivo de acalorados debates e imperecível desconfiança por parte de muitos, se não todos os presentes naquele final de manhã nas instalações do palácio ducal.

Os primeiros a se surpreender com tão insólita figura foram exatamente aqueles que, assim que bateram os olhos nele, se inquietaram, incomodados por uma percepção crescente de que o conheciam. Atormentaram-se Bassânio e Graciano com prolongada observação, entreolhando-se várias e várias vezes no silêncio de uma dúvida irremovível e perturbadora.

Quem seria?

Onde o haviam visto?

Chegaram a trocar olhares com o recém-chegados e se abalaram ainda mais com a percepção de que seus olhos eram familiares. Uma centelha de reconhecimento alcançou-os e pelo menos Graciano angustiou-se ainda mais, pois não lhe restou sequer um fiapo de dúvida de que o conhecia.

De onde teria vindo?

Salarino mencionara Pádua, mas Graciano não conseguiu associá-lo àquela cidade ou a alguma pessoa com quem mais corriqueiramente mantinha algum tipo de relacionamento em Pádua ou em qualquer outro lugar, muito menos Veneza.

Os passos do recém-chegados eram curtos. Desde que entrou, ele praticamente limitou-se a marchar na direção do Doge, que ao vê-lo à sua frente, indagou:

— Viestes de Pádua? — O mensageiro, mais do que depressa, anuiu silenciosamente. — Da parte do Doutor Belário?

Nova inquietação alcançou Graciano no momento em que o mensageiro, voz até tonitruante mas inescapavelmente anasalada e fina, quase feminina, respondeu:

– Sim, meu senhor. Belário saúda Vossa Graça.

Assustou-se e recuou na direção de Graciano ao ver uma faca na mão direita de Shylock.

– Para que essa faca, seu biltre? – indagou Bassânio, juntando-se a Graciano e postando-se, protetor, entre o mensageiro e Shylock. – Que maus instintos animam sua alma perversa?

Um sorriso escarninho torceu os lábios cinzentos do prestamista.

– Estou me preparando para cortar a multa do falido – respondeu.

– Ora, seu maldito... – Graciano calou-se, surpreendido, a atenção atraída para o mensageiro, com quem trocou um rápido olhar, não atraído exatamente por sua figura macilenta mas, antes, pelo perfume que exalava de seus cabelos confinados em uma touca negra. Aquele perfume... aquele perfume... Reconheceu e assim que o fez, esforçou-se para dissimular o espanto surgido pelo súbito reconhecimento, virando-se para Shylock e o ofendendo: – Cão dos infernos!

O intenso contentamento que animava a alma de Shylock irradiou-se e fez-se visível no rosto ossudo que aparentava ainda maior hostilidade.

– Se minha letra se mostra tão invencível e nada consegues com tantos e tolos xingamentos, aquieta vosso espírito, mocinho, e não canse inutilmente vossos pulmões. A mim só interessa a justiça.

Mais uma vez o Doge obrigou-se a intervir, gesticulando vigorosamente para que os soldados separassem os contendores e sinalizando para que o mensageiro se aproximasse.

– Onde está a carta que trazeis para mim? – indagou e, ao recebê-la, entregou-se a uma leitura das mais apressadas, antes de mais uma vez encarar o mensageiro e dizer: – A carta de Belário alega que ele está muito adoentado e impossibilitado de viajar.

– Assim o é, Vossa Graça – ajuntou o mensageiro.

– Mas dada a gravidade da causa, recomenda-nos um jurista mais moço mas de excepcional erudição. Onde ele está?

– Lá fora, esperando apenas que Vossa Graça mandeis entrar.

– Com imenso prazer – disse o Doge, gesticulando mais uma vez para alguns oficiais e ordenando: – Apressem-se e introduzam-no no salão com toda a cortesia que é característica de Veneza – rapidamente atendido, voltou-se para o mensageiro e ordenou: – Enquanto isso, que toda a Corte tome conhecimento do que Belário nos diz em sua carta.

Coube ao mensageiro, após a carta lhe ser devolvida, lê-la:

Saiba Vossa Graça que ao receber vossa carta eu me encontrava gravemente doente e por causa disso, e nenhum outro motivo, me é impossível atender a tão importante pleito. No entanto, em razão de grande coincidência e para sorte tanto minha quanto sua, ao mesmo tempo que recebia seu emissário, também acabara de receber a visita de um jovem doutor de Roma, de nome Baltasar. Por se tratar de criatura de extraordinário conhecimento jurídico e conversa das mais agradáveis, verdadeiro sonho de qualquer anfitrião, acabei por expor-lhe o motivo da controvérsia entre o judeu Shylock e o mercador Antônio. Interessou-nos sobremaneira vosso caso e nosso interesse foi imediato. Consultamos muitos livros e depois de vasta consulta percebemos que comungamos de idêntica opinião com relação ao tema em discussão. Como se trata de homem de insaciável curiosidade intelectual e surpreendente conhecimento jurídico, ele insistiu em vos levar as conclusões a que chegamos, até mesmo para, em meu lugar, atender ao apelo de Vossa Graça. Reitero e insisto para que nem Vossa Graça nem os senadores da Sereníssima República, que certamente o acolherão no palácio ducal, se deixem iludir ou o menosprezem em virtude de seus poucos anos. Posso vos afiançar que se trata de um corpo jovem mas que carrega em sua cabeça a sabedoria e o vastíssimo conhecimento de um homem velho e dos mais experimentados. Acredito que tal prodígio será acolhido com extrema respeitabilidade e atenção por todos na Corte e que o documento que tem em seu poder será a sua melhor recomendação.

– Bem, teremos a oportunidade de saber a quantas andam a veracidade das palavras de Belário e sua reconhecida capacidade de julgamento – disse o Doge, apontando para os militares que escoltavam a figura hirsuta e corpulenta de um jovem investido em pesados trajes de doutor em Direito. – Eis que se aproxima o colega que nos mandou.

Acolhendo-lhe as mãos entre as suas em um cumprimento extremamente acolhedor, informou:

– Sois bem-vindo, meu jovem.

Marcharam para as cadeiras que ele e os senadores ocupavam costumeiramente, o Doge apontando para uma que se encontrava vazia à sua direita.

– É de vosso conhecimento a divergência que hoje discutimos nessa corte, pois não? – comentou.

O recém-chegado não respondeu de imediato. Ao contrário, por certo tempo limitou-se a esquadrinhar a multidão silenciosa que se amontoava pelo amplo salão. Sorriu quando seus olhos fixaram-se em Bassânio. Experimentou uma certa satisfação, pois, além da breve inquietação que o levou inclusive a fugir de seu olhar persistente, perscrutador, nada mais percebeu que pudesse inferir que ele a reconhecera. O jovem jurista era Pórcia, valendo-se de hábil disfarce como Nerissa, e aos poucos a tensão que a acometera ao pôr os pés no salão do Palácio Ducal foi sendo substituída por crescente confiança que por fim a levou a responder, por trás de convincente dissimulação de uma voz insípida e propositadamente roufenha, a pergunta que lhe fizera o Doge.

– Estou perfeitamente a par dos pormenores da pendência – disse, cofiando a barba curta e cerrada, dando a impressão de que esta o incomodava imensamente, os olhos estreitos deambulando pelos rostos a sua frente. – Onde está o mercador? Quem é o judeu?

– Estão bem à sua frente – respondeu o Doge, gentilmente. – Antônio é o mais jovem, e o velho é Shylock.

Pórcia fixou os olhos no prestamista.

– É este mesmo vosso nome, Shylock?

– Assim me chamo – respondeu ele.

Inclinou o corpo mais um pouco na direção de Shylock.

— Extremamente insólita é a natureza de vossa causa, mas se as leis de Veneza não apresentam nenhum obstáculo a ela, encontro justeza no que pedis – disse Pórcia. Virando-se para Antônio, questionou: – Estais inteiramente à disposição deste homem, não é mesmo, mercador?

— Assim diz ele, meu senhor – respondeu Antônio.

— Então reconhece a letra?

— Absolutamente.

— Em razão disso, é de esperar que o judeu se mostre clemente.

Shylock sacudiu a cabeça com contrariedade e indagou:

— E por que meios devo ser levado a tal gesto, poderia me dizer, meu senhor?

— Muito se poderia dizer e muito mais explicar como a clemência se faz necessária sob tais circunstâncias, mas eu vos asseguro que somente pelo que diz a letra fria da lei nenhum de nós alcançará a salvação. Para obter a graça de Deus, todos nós dirigimos as nossas orações e esperamos a Sua graça, a partir do momento que compreendemos que também temos que usar a graça. Depois de estudar minuciosamente a vossa causa, compreendo que este é dos tais momentos em que nos são exigidas a graça e a indulgência. Se digo e insisto para que levai tais palavras em conta, não o faço para diminuir vosso direito, mas antes para alertá-lo de que, exatamente por ter tanto poder em vossas mãos, deveis ser sábio ao valer-se dele para alcançar justiça. Todavia, se insistires, o severo tribunal de Veneza certamente dará sentença em seu favor e contrária ao mercador.

O rosto de Shylock transformou-se na máscara vil de um homem rancoroso e no limite ambicionado e próximo de tão esperada vingança quando ele disse:

— Que meus atos me caiam na cabeça. Nada desejo além da aplicação da lei, a pena estabelecida na letra já vencida.

— O mercador não tem condições de pagar a dívida?

Antes que a indagação o alcançasse completamente, Bassânio aproximou-se e respondeu:

— Pode sim, meu senhor. De imediato, posso depositar em nome dele o valor. Na verdade, até mesmo o dobro. Se porventura ainda não for suficiente, comprometo-me a multiplicá-la por dez. Dez vezes eu pagarei a mesma dívida e nessa afirmação empenho até mesmo minha alma. E se mesmo assim não se fizer suficiente, ficará claro que neste pleito impera a malícia e não a lisura que se espera nas transações comerciais. Neste caso, apelarei para que a justiça se faça por outros olhos e não se deixe manipular, transformando-se em injustiça, por obra e graça deste demônio que conhecemos como Shylock.

– Impossível! – trovejou Pórcia, enfática. – Força alguma pode mudar as leis vigentes em Veneza!

Shylock sorriu e entusiasmado, disse:

– Ah, finalmente um jovem e sábio juiz que posso respeitar e acatar!

Virando-se para Shylock, Pórcia pediu:

– Por favor, seria possível mostrar-me a letra? Gostaria de examiná-la.

Extremamente confiante, Shylock aproximou-se e entregou-lhe o documento que carregava dentro de uma das mangas da túnica escura que vestia.

– Vosso documento apresenta alguns aspectos jurídicos assaz interessantes, Shylock – disse Pórcia depois de examiná-lo com acuidade por certo tempo.

Shylock surpreendeu-se.

– Verdade? Quais?

– Três, na verdade...

– É?

– O primeiro, inteiramente a seu favor, deixa claro que o documento já está vencido e, portanto, legalmente o senhor está no direito à reclamação da anteriormente citada libra de carne, cortada junto do coração do mercador.

– Sempre disse a verdade, senhor! Já falei uma mentira que fosse em minha vida? Nunca! Nem por toda Veneza.

– Isso estabelecido, mas uma vez apelo a que seja compassivo e que aceite a importância triplicada da dívida. Sendo assim, a mim é permitido rasgar o documento.

– Eu permitirei logo que liquidarmos a dívida de acordo com seus termos. Como grande conhecedor das leis, intimo-vos a cumprir o que estipula a letra firmada por Antônio. Nada solicito além disso.

Antônio impacientou-se e de pé ao lado do prestamista, virou-se para o jurista sentado à sua frente e apelou:

– Eu vos suplico, meu bom senhor, que pronuncie imediatamente a sentença.

Pórcia aquiesceu com um aceno de cabeça e determinou:

– Pois que assim seja. Basicamente eu determino que preparai o peito para a lâmina afiada do credor.

Shylock mal coube em si de entusiasmo. Com a faca mais uma vez à mão, falou:

– Justíssimo juiz, o que mais posso dizer? Quão extraordinário se apresenta em suas decisões!

Pórcia espalmou a mão com impaciência, silenciando-o, e disse:

– Nada faço além de meu papel de fiel intérprete do espírito que norteia a aplicação das leis, mas antes, do espírito que norteou a sua criação. Aqui estou única e exclusivamente para observar que se faça cumprir a penalidade estipulada na letra.

– Sois um juiz íntegro e sábio.

Virando-se para Antônio, Pórcia ordenou:

– Descubra vosso peito, senhor Antônio!

Os olhos de Shylock estreitaram-se, iluminados por uma intimidante centelha onde raiva e ansiedade se misturavam com intensa satisfação.

– Sim, o peito – repetiu. – Como está na letra, é assim mesmo, senhor juiz? "Bem junto do coração", não é o que diz a letra?

– Certamente... – concordou Pórcia. – Já tens a balança preparada para pesar a carne?

– Há tempos carrego uma, nobre juiz.

– E o cirurgião?

Shylock surpreendeu-se:

– Cirurgião?

– Sim, decerto contrataste um, não?

– Como assim?

– Deveras, meu bom homem, contratastes um para que, consumado o cumprimento da letra, seu devedor não venha a morrer por conta de grave e incontrolável hemorragia, estou certo?

– Isso está estipulado na letra?

– Não exatamente. Mas dentro do mais profundo espírito das leis, é mister que se estipule que nenhuma outra sanção sofra o devedor além daquela estritamente definida na letra, não é mesmo? O senhor Antônio não se comprometeu a morrer caso não honrasse seu compromisso financeiro, mas antes, apenas estipulou que lhe daria uma libra da própria carne por consequência do atraso no pagamento.

Shylock, surpreendido, a faca ainda em riste, protestou:

– Não há nenhuma menção a tais coisas na letra.

Pórcia nada disse. Voltando-se para Antônio, questionou:

– Tendes algo a declarar, mercador?

– Quase nada, nobre juiz. Encontro-me absolutamente preparado para honrar o compromisso assumido. Não me queixo e muito menos me amofino. Nem mesmo de meu grande amigo Bassânio, por quem assumi tal compromisso, guardo o menor rancor. Prezo minha palavra e, para que nenhuma nódoa a macule, espero apenas que o judeu me corte profundamente o mais depressa possível, quitando de vez a dívida que assumi com ele.

Bassânio aproximou-se dele e angustiado, disse:

– Desposei uma mulher que me é tão cara quanto a própria vida, bom Antônio, mas neste momento, tão próximo de triste destino em que eu o lancei, nem essa vida, a esposa, o mundo inteiro são mais importantes para mim do que vossa existência. Não pensaria duas vezes, se possível fosse, em sacrificar minha vida para salvardes deste demônio vingativo.

Pórcia pigarreou, chamando-lhe a atenção. Olharam-se e mesmo naquele breve segundo, Bassânio não a reconheceu.

– Imagino que não vos será grata a esposa se tomasse conhecimento de que aqui estivesse a fazer tal proposta.

– Amo imensamente a minha esposa, mas no céu apreciaria vê-la se tal gesto permitisse que entrasse em contato com algum poder celestial capaz de demover este judeu de seu intento infame.

Shylock impacientou-se:

– Seria possível darmos andamento ao pleito, senhor juiz?

– Certamente – Pórcia endireitou-se na cadeira e, encarando-o, disse:
– Pertence a ti, prestamista, uma libra de carne do corpo do mercador. A corte reconhece, pois a lei assim o permite e determina.

– Agradeço seu forte apego às leis, meu senhor.
– Também está estipulado que retireis essa libra de carne do peito do mercador.
– Decerto que sim, sábio juiz! – Shylock, ansioso, levantou a faca e deu um passo na direção de Antônio, que continuou imóvel, sustentando seu olhar. – Permiti que...
– Apenas um instante, Shylock.
O prestamista lançou ao jurista um olhar arregalado, o rosto pálido e pasmo de surpresa.
– O que foi? A corte o reconhece, porque a lei o permite... Não foi o que disseste?
– E a esta afirmação nem retiro ou incluo nenhuma outra frase ou a menor e menos importante palavra – respondeu Pórcia.
– Então...
– ...há apenas uma coisa.
– Que coisa?
– Pela letra, a sangue algum tens direito, nem sequer uma gota.
– Senhor?
– A letra se faz clara e absolutamente objetiva: "Uma libra de carne". Portanto, tiras apenas o combinado: uma libra de carne. Firma a mão, pois se no instante em que a cortares, descuidar e derramares uma gota que seja do sangue deste cristão, teus bens, pelas leis de Veneza, passarão por direito ao Estado.
– A lei diz isso?
– Podeis ver o texto.
Nenhum dos presentes resistiu àquele momento e desfez-se o silêncio pesado e angustiado em uma gritaria em que à celebração incontrolável o silêncio emprestaria um alívio indescritível, que por fim faria com que todos convergissem seus olhares para Shylock. Nem uma palavra. A respiração tensa se apresentava em muda expectativa, como se esperassem pelo próximo gesto do prestamista.
Foi demorado. Por certo tempo, os olhos de Shylock deambularam de um lado para outro, como se repentinamente o próprio chão lhe tivesse sido surrupiado de sob os pés e a qualquer momento ele pudesse tombar, vitimado por imensa perda.

– Sendo assim, eu concordo com a proposta de receber três vezes mais a importância inicial da dívida, liberando o cristão de todo ônus.

Pórcia levantou-se e, encarando-os, disse:

– Vieste aqui irredutível, Shylock. Querias justiça. Portanto, por que te apressas desta maneira? As leis de Veneza não são feitas por ti nem se prestam a atender vossos caprichos. Por conta disso, tens agora somente o direito à multa estipulada.

– Dela abro mão!

– Prepara-te para cortar a carne, mas precavenha-se. Não poderás derramar uma gota de sangue sequer nem retirar um grama que ultrapasse o justo peso de uma libra. Da mesma forma, não poderás privar do devedor essa mesma uma libra, muito menos sua vida. Vamos, homem, cobra tua dívida!

Shylock viu-se vencido em seus propósitos mais maléficos e vencido pela arguta argumentação do jovem juiz. Ensimesmou-se, incapaz de enfrentar a multidão sedenta de vingança e, ainda mais, de ouvir o que Pórcia e o Doge diziam. Uma condenação após a outra, a execração pública mais cruel mesmo para alguém como ele fez-se tão implacável quanto a dele. Perdeu-se bem mais do que uma libra de carne naquelas intermináveis horas no interior do palácio ducal.

Shylock nada ouviu. Nada fez questão de ouvir. O pouco que ouviu, perdeu-se certo tempo depois na memória. As penas foram pesadas e resumiram-se simplesmente na perda completa de seus bens, tudo dividido ao meio e partilhado, de um lado, pelo Estado e a outra metade, transformada em herança infame que após a sua morte seria entregue a Jéssica, sua filha, e ao cristão que a desposou. Pior infâmia, talvez, só o castigo imposto por Antônio e referendado pelo Doge: ele deveria converter-se em cristão.

– Então, Shylock, estais contente? – perguntou Pórcia.

– Estou contente – respondeu ele, distante de tudo, farto de si mesmo ou, na verdade, daquilo em que o haviam transformado.

– Então redigi logo a ata, escrivão, de doação dos bens – soou a voz implacável do jovem juiz.

As últimas palavras jamais seriam esquecidas e se repetiriam em sua cabeça enquanto atravessa as ruas de Veneza para olhar sua casa pela última vez:

– Peço-vos permissão de retirar-me, pois me sinto indisposto e extremamente cansado. Enviai-me a ata para casa que terei imenso prazer em assiná-la.

Naquele mesmo dia, após despedir-se do Doge, escusando-se de uma celebração que a cidade de Veneza pretendia lhe oferecer pela solução de tão intrincada ação judicial, Pórcia declarou:

– Mil desculpas, Vossa Grandeza, mas preciso partir ainda esta noite para Pádua.

Divertiu-se um pouco mais com Bassânio, visto que, por mais que se insinuasse e deixasse ao alcance de seus olhos essa ou aquela pista de sua verdadeira identidade, ele em momento algum a reconheceu e nem mesmo tentou convencê-la a aceitar os três mil ducados que seriam pagos a Shylock.

– Muito bem pago já está quem satisfeito se declara. Por vos ter libertado, considero-me satisfeito e, com isso, fartamente pago de tudo. Não tenho espírito mercenário e tão somente apelo para que me reconheças da próxima vez em que voltarmos a nos ver.

Bassânio ainda insistiu em lhe dar um presente, e Pórcia insistiu que aceitaria de ambos uma simples lembrança. Antônio deu-lhe suas luvas, mas ela insistiu para que ele lhe desse um anel.

– Esse anel, senhor? Mas, acredite, ele não vale nada – protestou Bassânio. – Esse anel é uma lembrança de minha esposa, que, no instante de me entregar, me fez prometer que nunca o daria nem venderia e muito menos o perderia.

Pórcia sorriu e argumentou:

– Se vossa esposa não for uma tola, quando vier a saber até que ponto fiz jus a essa lembrança, certamente não há de vos dedicar ódio implacável apenas por tê-lo dado a mim.

Ele a presenteou com o anel.

Naquela noite mesmo, antes de partir para Belmonte, Pórcia passou na casa de Shylock. Ele assinou ata com a doação de seus bens sem emitir uma palavra sequer, e nada disse quando ela se foi. No entanto, jamais foi encontrado para ser batizado e convertido ao catolicismo.

ANGÚSTIA E PAIXÃO

A viagem de volta para Belmonte se fez lenta e angustiada para Bassânio. Dias e mais dias remoendo um arrependimento inútil e temendo as consequências de um gesto tolo de gratidão. Taciturno, não dormiu e nas poucas horas em que conseguiu conciliar o sono com o cansaço natural da viagem, acabou despertado por um pesadelo recorrente, tormento comum a todo homem apaixonado, qual seja, a perda de sua grande paixão. A preocupação era tão completa que volta e meia se alheava de tudo à sua volta, até mesmo de Antônio, que falido e sem maiores alternativas, concordara em acompanhá-lo e a seu séquito.

– Não se preocupe, meu bom amigo – tranquilizava-o de tempos em tempos. – Depois de tudo o que fizestes por mim, Pórcia concordará que minha dívida de gratidão contigo é imensa e sois bem-vindo em minha casa enquanto quiserdes.

Partilhavam de triste silêncio, mesmo que por motivos distintos. Infelicidade comum, pois, a seu jeito e a seu modo, carregavam o peso insuportável de perdas irreparáveis.

Veneza ficara dias para trás e naquele momento, quando alcançava Belmonte, Bassânio sabia que nada havia a fazer, pois o jovem juiz que salvara a vida de Antônio ainda se encontrava em algum lugar entre aquela cidade e Pádua, ou pior ainda, em paradeiro desconhecido entre Roma e o resto da Itália.

– Que tolice fiz, Graciano? – lamentava-se, pensando no anel que a esposa lhe dera e que em momento de extrema gratidão, e pouca ou nenhuma reflexão, presenteara o juiz do qual nem recordava o nome.

Nessas horas, Graciano aliava-se a ele em igual arrependimento, pois também deixara para trás semelhante anel com semelhante promessa feita a Nerissa, a futura esposa.

– Os anéis eram de pouquíssimo valor, senhor – argumentou Graciano. – Se formos honestos e explicarmos os nossos motivos, tenho certeza de que as duas nos perdoarão. Afinal de contas, vão-se os anéis mas ficam os dedos, e nosso amor é verdadeiro e mais importante do que este ou aquele objeto.

Bassânio lançou um olhar pessimista para o companheiro de viagem e perguntou:

– Acredita realmente nisso, meu bom amigo?

Pessimismo igual tomou conta de Graciano.

– Estou tentando me convencer desde que saímos de Veneza, mas confesso que não está sendo nada fácil.

– Impossível.

– Como?

– Vai ser simplesmente impossível, acredite. Aquelas duas mulheres são terríveis!

Graciano aborreceu-se:

– Alto lá! Está falando de minha esposa!

– Estou falando da minha também, Graciano, da minha também.

– Quem sabe a felicidade de nos ver retornando sãos e salvos não as leve a esquecer essa porcaria de anel...

Bassânio sorriu tristemente.

– Aprecio seu otimismo, Graciano, aprecio mesmo.

Os dois alcançaram o imponente castelo de Belmonte ainda mais silenciosos e preocupados do que nunca. Responderam com tímidos sorrisos e acenos ao cumprimento de Jéssica e Lourenço, que encontraram em uma das várias alamedas que se entrecruzavam no amplo jardim. Para maior apreensão de ambos, Pórcia e Nerissa já os esperavam.

– Senhora, este é o meu grande amigo Antônio – apresentou Bassânio, buscando ganhar tempo, alinhavar excelente desculpa para que a raiva da esposa fosse mais amena, atenuada pelos dias passados um longe do outro. – Bem sabeis o quanto lhe devo...

Pórcia desviou seus sorrisos para Antônio e saudou-o alegremente:

– Sois muito bem-vindo à nossa casa!

Calou-se, um risinho malicioso preso aos lábios, ao ouvir Graciano, constrangido, desdobrando-se em explicações para com Nerissa, extremamente contrariada.

– Juro por essa Lua que nos alumia que sois injusta comigo. Se dei o anel que tu me ofereceste àquele escrivão, o fiz por pura e sincera gratidão. Afinal de contas, ele e seu juiz salvaram a vida de meu grande amigo!

Pórcia interveio:

– Estão brigando? Mal contraíram núpcias e já estão brigando? – Nerissa cruzou os braços sobre o peito e virou as costas para Graciano, contrariada. Pórcia sorriu para ele e indagou: – Posso saber o motivo?

O olhar de silenciosa cumplicidade trocado por Graciano com Bassânio prestou-se apenas a chamar a atenção de Pórcia, que, olhando para um e para outro, insistiu:

– O que houve? Sabe de alguma coisa sobre isso, meu caro Bassânio? Está envolvido?

– Entusiasmado com a salvação de meu amigo Antônio e atendendo a pedidos tanto do escrivão quanto do juiz, Graciano e eu presenteamos a ambos com o que pareceu interessá-los tanto... – explicou Bassânio.

– Os anéis, senhora! – rugiu Nerissa, fingindo irritação. – Acreditai nisso? Eles deram os anéis!

– Foi um erro, admito – desculpou-se Graciano.

– Pensando bem, muito estranho o interesse daqueles dois pelos anéis, não, Graciano? – argumentou Bassânio.

– Agora que tocaste no assunto...

– Aliás, os dois eram bem esquisitos.

Pórcia colocou-se entre ambos e, olhando para um e para outro, observou:

– Mudar de assunto não irá salvá-los. Sabem disso, pois não?

– Melhor seria ter cortado a mão esquerda e jurar que perdi o anel na luta – lamentou-se Bassânio.

– Não, não, meu senhor – insistiu Graciano. – Agora que podemos refletir um pouco, bem distantes da grande tensão que enfrentamos com o julgamento de vosso amigo, lembro-me que o juiz insistiu muito em receber seu anel como pagamento pelos serviços prestados, abdicando até mesmo dos três mil ducados referentes ao que devíamos ao prestamista judeu. Quando finalmente conseguiu o que queria, o escrivão que o acompanhava virou-se para mim e fez igual pedido.

– Você deu o anel que lhe dei... – disse Pórcia.

– Foi o que ambos fizeram, senhora – ajuntou Nerissa.

– Pois eu não subirei ao leito em sua companhia enquanto não vir o anel novamente em sua mão – disse Pórcia, olhos fixos em Bassânio.

– E eu lhe faço igual promessa – repetiu Nerissa, encarando Graciano.

Um grande silêncio alcançou a todos. Embaraçado, Antônio aproximou-se e disse:

– Lamento ser involuntariamente o causador dessas querelas, minha senhora...

Pórcia sorriu.

– Não se aborreça, senhor, pois ainda é bem-vindo nesta casa. Culpa alguma lhe cabe, mas apenas àquele que, tendo feito um juramento, tão levianamente o quebrou.

– Permita-me interceder em favor de meu dileto amigo, senhora. Já empenhei uma vez o próprio corpo pela sorte dele e, se não fosse pela pessoa que ficou com o anel com que o presenteou, aqui eu não estaria. Sinto-me responsável pela desdita de meu amigo e, por isso, a minha alma resolvo empenhar na certeza de que, conscientemente, ele jamais quebrará as promessas que lhe tenha feito.

Pórcia olhou para um e para outro e por fim entregou um novo anel para Antônio, pedindo:

– Será, portanto, o fiador de meu marido. Entregue-lhe isto e peça-lhe que seja mais zeloso.

Antônio o apanhou e de imediato entregou-o a Bassânio.

– Senhor Bassânio, agora ireis jurar-me que este outro anel será mais bem guardado.

Ao ver o anel e depois de examiná-lo rapidamente, Bassânio virou-se para Pórcia:

– Mas o que significa isso? Este é o anel que dei ao juiz!

Pórcia sorria e, sem nada dizer, entregou-lhe uma carta.

– O que é isso, Pórcia?

– Essa carta veio de Pádua, escrita pelo sábio Belário. Podeis ver que o doutor jurista foi Pórcia e o escrivão dele, ninguém menos do que Nerissa. Caso não acredite em nós, pode confirmar o que digo com seu amigo Lourenço, que sabe de minha trama. Além disso, essa carta traz notícia ainda mais extraordinária e importante para seu fiador.

Antônio espantou-se:

– Para mim? Do que se trata, senhora?

– Três de seus galeões inesperadamente aportaram em Veneza trazendo carga igualmente valiosa.

– Estou sem fala...

– Recuperaste parte de vossa fortuna, meu amigo.

Antônio, emocionado, afastou-se.

O que poderia dizer?

Haveria necessidade?

De um momento para outro, sentiu-se inconveniente. Bastava um simples olhar para perceber que os casais a sua frente queriam ficar a sós. Afastou-se simplesmente, gesticulando para a criadagem e o séquito que os acompanhara desde Veneza, levando a todos consigo. Enquanto os via se afastar, Bassânio virou-se para Pórcia e questionou:

– Quer dizer que você se fez passar pelo juiz?

Ela sorriu, divertida.

– Pois é... – admitiu.

– E eu não a reconheci...

Graciano voltou-se para Nerissa e aparentando estar bastante contrariado, reclamou:

– E você fez o papel do escrivão que queria desonrar-me?

As duas mulheres se entreolharam e, depois de certo tempo, explodiram em estrondosa gargalhada.

– Amanhece, meu marido – disse Pórcia. – Tenho certeza de que há muitas perguntas em sua mente. Que tal entrarmos para que eu possa responder-lhe mais convenientemente?

– Nada posso dizer em seu nome, Bassânio – admitiu Graciano –, e desconheço seu interesse em respostas para as tantas perguntas que muito provavelmente pretende fazer. Eu, por mim, guardarei como mais carinho e atenção o anel de minha querida Nerissa.